李玉林延

世界童话名著彩图注音版

安徒生童话

AN TU SHENG TONG HUA

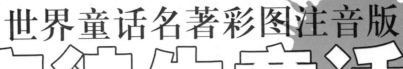

江苏少年儿童出版社

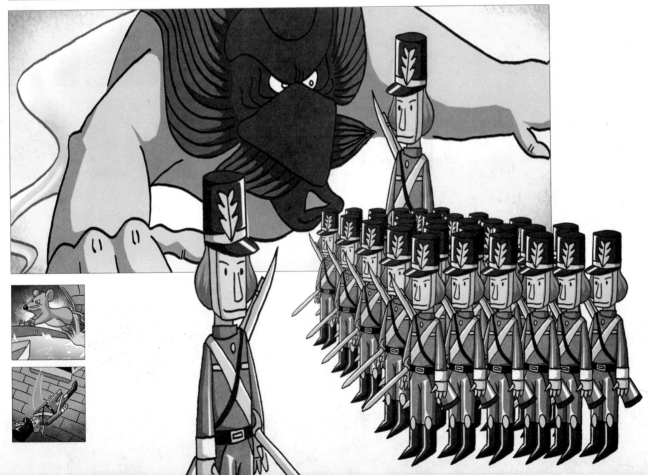

目 录

策　　划: 宗　华
文　　字: 夏晓羽　柳畅纾　林　莉
绘　　画: 南京山石卡通艺术有限公司
绘画艺术总监: 程　刚　程国庆
　　　　　　　胡正林　张　迅
注　　音: 江雪萍
封面设计: 陈泽新
装帧设计: 陈泽新
平面制作: 张发萍
责任编辑: 张玉培　石　磊

méi gui huā jīng
玫瑰花精

1. huā yuán li yǒu yí ge méi gui huā cóng, méi gui huā jīng jiù zhù zài zuì
花园里有一个玫瑰花丛，玫瑰花精就住在最
měi de yì duǒ huā li
美的一朵花里。

2. méi gui huā jīng zhǎng zhe yì shuāng chì
玫瑰花精长着一双翅
bǎng, zhěng tiān zài huā yuán li fēi lai
膀，整天在花园里飞来
fēi qu, zhēn kuài huo
飞去，真快活！

3. yì tiān, yáng guāng míng mèi, méi
一天，阳光明媚，玫
gui huā jīng hé hú dié men zhuī zhú xī
瑰花精和蝴蝶们追逐嬉
xì wán de wàng le huí jiā
戏，玩得忘了回家。

4. 天黑了，起风了，玫瑰花精迷了路，飞到花亭里休息。

5. 啊，花亭里坐着一对恋人，他们正紧紧依偎在一起。

6. 小伙子叹息着对少女说："你哥哥要把我赶走，不许我们再见面。"

7. 少女伤心地哭起来。她折下一朵玫瑰，递给小伙子。

安徒生童话

玫瑰花精

9. 一会儿，少女走了。
小伙子拿着那朵玫瑰，
闻着花香，走进树林里。

10. 忽然，少女的哥哥从
树后闪出，举起尖刀，
刺向小伙子。

8. 玫瑰花精乘机飞进玫
瑰花里，偷听他俩说悄
悄话。

世界童话名著 安徒生童话

彩图注音版

11. shào nǚ de gē ge kǎn xia xiǎo huǒ
少女的哥哥砍下小伙
zi de tóu lián tóng tā de shēn tǐ
子的头，连同他的身体
mái zài shù xià
埋在树下。

12. shào nǚ de gē ge cōng cōng zǒu le
少女的哥哥匆匆走了。
méi gui huā jīng gēn zài tā hòu mian
玫瑰花精跟在他后面。

13. méi gui huā jīng gēn zhe tā huí dào
玫瑰花精跟着他回到
jiā li shào nǚ yǐ jing shuì jiào le
家里。少女已经睡觉了！

14. méi gui huā jīng jiào xǐng tā bǎ
玫瑰花精叫醒她，把
zhè jiàn shì gào su tā kě tā bìng
这件事告诉她，可她并
bù xiāng xìn
不相信。

15. méi guì huā jīng bǎ shào nǚ dài dào shù lín。 shào nǚ wā kai ní tǔ,
玫 瑰 花 精 把 少 女 带 到 树 林。 少 女 挖 开 泥 土,
kàn jian xiǎo huǒ zi guǒ zhēn bèi shā sǐ le。
看 见 小 伙 子 果 真 被 杀 死 了。

16. shào nǚ shāng xīn de kū le。 tā
少 女 伤 心 地 哭 了。 她
bǎ xiǎo huǒ zi de tóu dài huí jiā,
把 小 伙 子 的 头 带 回 家,
mái zài dà huā pén li
埋 在 大 花 盆 里。

17. shào nǚ jīng cháng duì zhe huā pén
少 女 经 常 对 着 花 盆
kū, rén yì tiān bǐ yì tiān xiāo shòu。
哭, 人 一 天 比 一 天 消 瘦。
bù jiǔ, tā shēng bìng sǐ le。
不 久, 她 生 病 死 了。

玫瑰花精

世界童话名著
安徒生童话
彩图注音版

5

18. huā pén li kāi chu yì duǒ duǒ fēn
花 盆 里 开 出 一 朵 朵 芬
fāng de dà huā, měi duǒ huā li dōu
芳 的 大 花 ，每 朵 花 里 都
zhù zhe yí ge xiǎo jīng líng
住 着 一 个 小 精 灵 。

19. shào nǚ de gē ge kàn jian le zhè
少 女 的 哥 哥 看 见 了 这
pén xiān huā, bǎ tā bān dào zì jǐ
盆 鲜 花 ，把 它 搬 到 自 己
de chuáng tóu
的 床 头 。

20. méi gui huā jīng bǎ zhè jiàn shì jiǎng
玫 瑰 花 精 把 这 件 事 讲
gěi jīng líng men tīng, kě tā men hǎo
给 精 灵 们 听 ，可 他 们 好
xiàng hěn bú zài yì
像 很 不 在 意 。

21. tā yòu qù zhǎo xiǎo mì fēng men,
他 又 去 找 小 蜜 蜂 们 ，
bǎ shào nǚ de gē ge suǒ zuò de huài
把 少 女 的 哥 哥 所 做 的 坏
shì gào su le tā men
事 告 诉 了 他 们 。

22. 蜜蜂皇后知道了这事，立即命令小蜜蜂们
在第二天早晨把凶手刺死。

23. 深夜，少女的哥哥正
在熟睡，大白花里的精
灵们带着毒刺飞来了。

24. 精灵们先钻进让他做恶
灵的耳朵里刺死了他。
哥梦，然后少女的哥哥

25. " wǒ men wèi xiǎo huǒ zi bào chóu
我 们 为 小 伙 子 报 仇
le ！" dà bái huā de jīng líng men
了 ！" 大 白 花 的 精 灵 们
huān hū zhe fēi huí huā li
欢 呼 着 飞 回 花 里 。

26. tiān liàng le ， méi gui huā jīng hé
天 亮 了 ， 玫 瑰 花 精 和
fēng hòu dài zhe xiǎo mì fēng fēi lai ，
蜂 后 带 着 小 蜜 蜂 飞 来 ，
fā xiàn xiōng shǒu yǐ zāo dào chéng fá 。
发 现 凶 手 已 遭 到 惩 罚 。

27. yǒu ge lín jū xiǎng bān zǒu huā
有 个 邻 居 想 搬 走 花
pén ， bèi mì fēng cì le yí xià ，
盆 ， 被 蜜 蜂 刺 了 一 下 ，
huā pén shuāi chéng suì piàn 。
花 盆 摔 成 碎 片 。

28. rén men kàn dào le xiǎo huǒ zi de
人 们 看 到 了 小 伙 子 的
tóu lú zhōng yú míng bai le ： yuán lái
头 颅 终 于 明 白 了 ： 原 来
shào nǚ de gē ge shì shā rén xiōng shǒu 。
少 女 的 哥 哥 是 杀 人 凶 手 。

1. 从前，中国有位皇帝。他的御花园里住着一只会唱歌的夜莺。

2. 夜莺的歌喉太美妙了！各国旅行家赶来欣赏，赞叹不已。

3. 皇帝听说了这事，派侍臣去御花园请夜莺到皇宫为他唱歌。

世界童话名著 安徒生童话 彩图注音版

4. 夜莺舍不得离开花园，
但听说皇帝想见它，它
就同意了。

5. 夜莺站在一根金柱子
上，放开歌喉，为皇帝
唱起歌来。

6. 皇帝听了夜莺的歌声
竟流下泪来。他要奖给
夜莺一只金拖鞋。

7. 夜莺谢绝了，说："皇
帝的眼泪是给我的最高
奖赏！"

8. 夜莺从此住在皇宫的金笼里，11个仆人精心地
yè yīng cóng cǐ zhù zài huáng gōng de jīn lóng li   ge pú rén jīng xīn de
看护它。
kān hù tā

9. 一天，皇帝收到日本
yì tiān   huáng dì shōu dào rì běn
国皇帝寄来的礼物：镶
guó huáng dì jì lai de lǐ wù xiāng
着宝石的人造夜莺。
zhe bǎo shí de rén zào yè yīng

10. 只要上好发条，这只
zhǐ yào shàng hǎo fā tiáo   zhè zhī
人造夜莺就摆动尾巴，
rén zào yè yīng jiù bǎi dòng wěi ba
唱起歌来。
chàng qǐ gē lai

世界童话名著
安徒生童话
彩图注音版

11. 人造夜莺只能反复唱同一支歌，但皇帝仍喜欢听它独唱。

12. 真夜莺悄悄飞回花园去了。侍臣们都咒骂它忘恩负义。

13. 皇帝把人造夜莺摆在街上展览。人们听了它的歌声都很高兴。

14. 一位渔夫听了却说："它唱得像一只真夜莺，可它并不是真夜莺啊！"

15. 皇帝封人造夜莺为"高贵皇家歌手"，赏给它无数金子和宝石。

16. 一年过去了，皇帝、侍臣和街上的孩子们，都会唱人造夜莺唱的歌了。

17. 一天，人造夜莺正为皇帝唱歌，忽然，发条断了，歌声停了。

夜莺

世界童话名著 安徒生童话
彩图注音版

13

18. zhōng biǎo jiàng bǎ tā miǎn qiǎng xiū hǎo
钟表匠把它勉强修好，
shuō zhè zhī niǎo er zhǐ néng yì
说："这只鸟儿只能一
nián chàng yí cì le
年唱一次了。"

19. yòu guò le wǔ nián huáng dì bìng
又过了五年，皇帝病
dǎo le tǎng zài chuáng shang miàn sè
倒了，躺在床上，面色
cǎn bái
惨白。

20. huáng gōng li de rén dōu yǐ wéi huáng
皇宫里的人都以为皇
dì sǐ le fēn fēn pǎo dào xīn huáng
帝死了，纷纷跑到新皇
dì nà er xiàng tā zhì jìng
帝那儿向他致敬。

21. shēn yè huáng dì zhēng kāi yǎn wàng
深夜，皇帝睁开眼望
zhe rén zào yè yīng chī lì de shuō
着人造夜莺，吃力地说：
niǎo er wèi wǒ gē chàng ba
"鸟儿，为我歌唱吧！"

22. kě méi rén tì rén zào yè yīng shàng fā tiáo
可 没 人 替 人 造 夜 莺 上 发 条 , 它 站 在 那 儿 一 动
yě bú dòng huáng dì bēi shāng jí le
也 不 动 。 皇 帝 悲 伤 极 了 !

23. zhè shí chuāng wài chuán lai dòng tīng
这 时 , 窗 外 传 来 动 听
de gē shēng nà zhī zhēn yè yīng fēi
的 歌 声 , 那 只 真 夜 莺 飞
lai le wèi huáng dì gē chàng
来 了 , 为 皇 帝 歌 唱 。

24. huáng dì gǎn dào wú bǐ wēn nuǎn
皇 帝 感 到 无 比 温 暖 ,
jī dòng de shuō niǎo er nǐ jiù
激 动 地 说 : " 鸟 儿 , 你 救
le wǒ wǒ yào bào dá nǐ
了 我 , 我 要 报 答 你 。 "

世界童话名著 安徒生童话 彩图注音版

25. yè yīng shuō
夜 莺 说 ： " 你 已 经 报
答 了 我 。 你 的 泪 水 是 对
我 的 最 好 的 报 答 ！ "

26. tiān liàng le huáng dì de bìng hǎo
天 亮 了 ， 皇 帝 的 病 好
了 。 他 请 求 夜 莺 永 远 留
在 身 边 。

27. yè yīng shuō ràng rén zào yè
夜 莺 说 ： " 让 人 造 夜
莺 陪 你 吧 ！ 黄 昏 时 ， 我
会 在 窗 外 为 你 唱 歌 。 "

28. yè yīng fēi zǒu le tā yào fēi
夜 莺 飞 走 了 ， 他 要 飞
到 渔 夫 和 农 民 身 边 ， 飞
向 遥 远 的 树 林 ……

mǔ zhǐ gū niang
拇指姑娘

1. cóng qián yǒu wèi guì fù rén， tā wú ér wú nǚ， fēi cháng xī wàng yǒu
从 前 有 位 贵 妇 人 ， 她 无 儿 无 女 ， 非 常 希 望 有
yí ge xiǎo xiǎo de hái zi。
一 个 小 小 的 孩 子 。

2. wū pó gěi tā yì kē dà mài lì，
巫 婆 给 她 一 颗 大 麦 粒 ，
jiào tā zhòng zài huā pén li jiù kě
叫 她 种 在 花 盆 里 ， 就 可
yǐ shí xiàn yuàn wàng。
以 实 现 愿 望 。

3. guì fù rén zhòng xia dà mài lì，
贵 妇 人 种 下 大 麦 粒 ，
zhǎng chu yì duǒ huā bāo。 tā zài huā
长 出 一 朵 花 苞 。 她 在 花
bāo shang wěn le yí xià。
苞 上 吻 了 一 下 。

世界童话名著 安徒生童话 彩图注音版

4. 花儿忽然绽放了。花
   huā er hū rán zhàn fàng le huā
   蕊上坐着一个拇指般大
   ruǐ shang zuò zhe yí ge mǔ zhǐ bān dà
   小的女孩。
   xiǎo de nǚ hái

5. 贵妇人叫小女孩"拇
   guì fù rén jiào xiǎo nǚ hái mǔ
   指姑娘"。她用胡桃壳
   zhǐ gū niang tā yòng hú táo ké
   做摇篮，用花瓣做被子。
   zuò yáo lán yòng huā bàn zuò bèi zi

6. 贵妇人让拇指姑娘坐
   guì fù rén ràng mǔ zhǐ gū niang zuò
   在花瓣上，放进盆里划
   zài huā bàn shang fàng jìn pén li huá
   船玩。
   chuán wán

7. 一天深夜，癞蛤蟆趁
   yì tiān shēn yè lài há ma chèn
   拇指姑娘熟睡，把她偷
   mǔ zhǐ gū niang shú shuì bǎ tā tōu
   到小溪旁。
   dào xiǎo xī páng

8. 癞蛤蟆想让拇指姑娘做她的儿媳妇，把她放
lài há ma xiǎng ràng mǔ zhǐ gū niang zuò tā de ér xí fù bǎ tā fàng
在大荷叶上。
zài dà hé yè shang

9. 拇指姑娘一觉醒来，
mǔ zhǐ gū niang yī jiào xǐng lai
见自己躺在荷叶上，四
jiàn zì jǐ tǎng zài hé yè shang sì
周全是水，大哭起来。
zhōu quán shì shuǐ dà kū qi lai

10. 鱼儿们咬断了荷叶梗
yú er men yǎo duàn le hé yè gěng
子。荷叶载着拇指姑娘
zi hé yè zài zhe mǔ zhǐ gū niang
四处漂荡。
sì chù piāo dàng

世界童话名著 安徒生童话 彩图注音版

11. 一只金龟子发现了拇指姑娘，抓住她的细腰，飞到大树上。

12. 金龟子小姐们来看拇指姑娘，议论纷纷，说她是个丑八怪。

13. 她们把拇指姑娘丢在一旁，不再理睬她。拇指姑娘多么伤心啊！

14. 拇指姑娘孤单地走进树林。她用草叶编小床，又用大叶子搭小屋。

15. 她 饿 了 ， 就 吃 花 蕊 上
tā è le jiù chī huā ruǐ shang
的 蜜 ； 渴 了 ， 就 喝 叶 子
de mì kě le jiù hē yè zi
上 的 露 珠 。
shang de lù zhū

16. 冬 天 到 了 ， 拇 指 姑 娘
dōng tiān dào le mǔ zhǐ gū niang
把 自 己 裹 在 枯 叶 里 ， 冻
bǎ zì jǐ guǒ zài kū yè li dòng
得 瑟 瑟 发 抖 。
de sè sè fā dǒu

17. 天 气 越 来 越 寒 冷 了 ， 她 只 得 去 田 鼠 家 讨 饭 吃 。
tiān qì yuè lái yuè hán lěng le tā zhǐ dé qù tián shǔ jiā tǎo fàn chī
田 鼠 让 她 住 进 家 里 。
tián shǔ ràng tā zhù jìn jiā li

安徒生童话

拇指姑娘

18. 田鼠的邻居鼹鼠挖了一条地道，邀请拇指姑娘到地道里散步。

19. 拇指姑娘在地道里救活了一只被冻僵的燕子。

20. 燕子非常感激拇指姑娘，春天来临时要带她飞回森林里。

21. 拇指姑娘说："不，我走了，田鼠会伤心的。"燕子只好飞走了。

22

22. tián shǔ yào bǎ mǔ zhǐ gū niang jià
田 鼠 要 把 拇 指 姑 娘 嫁
gěi yǎn shǔ, bī zhe tā yáo fǎng chē
给 鼹 鼠 , 逼 着 她 摇 纺 车
zuò jià yī
做 嫁 衣 。

23. kě mǔ zhǐ gū niang bù xiǎng jià gěi zhè
可 拇 指 姑 娘 不 想 嫁 给 这
yǎn shǔ, shāng xīn de kū le 。
鼹 鼠 , 伤 心 地 哭 了 。
shí yàn zi fēi huí lai le
时 , 燕 子 飞 回 来 了 。

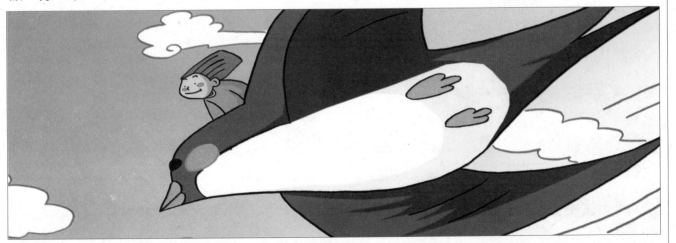

24. yàn zi dài zhe mǔ zhǐ gū niang fēi dào yí ge chōng mǎn yáng guāng de dì fang
燕 子 带 着 拇 指 姑 娘 飞 到 一 个 充 满 阳 光 的 地 方 ,
bǎ tā fàng zài dà huā bàn shang
把 她 放 在 大 花 瓣 上 。

世界童话名著 安徒生童话 彩图注音版

安徒生童话

拇指姑娘

25. huā de zhōng yāng zuò zhe yí wèi tóu
花 的 中 央 坐 着 一 位 头
dài wáng guān de xiǎo nán hái
戴 王 冠 的 小 男 孩 。

26. xiǎo nán hái shì huā de wáng zǐ
小 男 孩 是 花 的 王 子 。
tā xǐ ài mǔ zhǐ gū niang gěi tā
他 喜 爱 拇 指 姑 娘 , 给 她
dài shang wáng guān chā shang chì bǎng
戴 上 王 冠 , 插 上 翅 膀 。

27. mǔ zhǐ gū niang chéng le huā de wáng
拇 指 姑 娘 成 了 花 的 王
hòu tā hé xiǎo wáng zǐ xìng fú de
后 ! 她 和 小 王 子 幸 福 地
zài huā duǒ jiān tiào wǔ
在 花 朵 间 跳 舞 。

28. yàn zi qiáo zhe zhè yí qiè huān
燕 子 瞧 着 这 一 切 , 欢
kuài de chàng zhe gē er zài kōng zhōng
快 地 唱 着 歌 儿 , 在 空 中
fēi lai fēi qu
飞 来 飞 去 。

野天鹅 yě tiān é

1. 从前有位国王，他有11位王子，还有美丽的公主：艾丽莎。
cóng qián yǒu wèi guó wáng ，tā yǒu wèi wáng zi ，hái yǒu měi lì de gōng zhǔ ：ài lì shā 。

2. 艾丽莎与哥哥们整天在一起嬉戏玩耍，生活得多幸福啊！
ài lì shā yǔ gē ge men zhěng tiān zài yì qǐ xī xì wán shuǎ ，shēng huó de duō xìng fú a ！

3. 后来国王娶了狠毒的新王后。她把王子们变成野天鹅，赶出王宫。
hòu lái guó wáng qǔ le hěn dú de xīn wáng hòu 。tā bǎ wáng zǐ men biàn chéng yě tiān é ，gǎn chu wáng gōng 。

4. wáng hòu yòu zài ài lì shā shēn shang
王 后 又 在 艾 丽 莎 身 上
cā shang chòu yóu gāo shǐ tā biàn de
擦 上 臭 油 膏 ， 使 她 变 得
yòu hēi yòu chǒu
又 黑 又 丑 。

5. wáng gōng shàng xià shuí yě méi fǎ rèn
王 宫 上 下 谁 也 没 法 认
chu ài lì shā le tā zhǐ hǎo lí
出 艾 丽 莎 了 。 她 只 好 离
kāi wáng gōng
开 王 宫 。

6. ài lì shā pǎo jìn dà sēn lín
艾 丽 莎 跑 进 大 森 林 ，
zài hú li xǐ le ge zǎo tā yòu
在 湖 里 洗 了 个 澡 。 她 又
biàn chéng měi lì de gōng zhǔ le
变 成 美 丽 的 公 主 了 。

7. bàng wǎn ài lì shā dào hǎi tān
傍 晚 ， 艾 丽 莎 到 海 滩
shang sàn bù tā kàn jian zhī yě tiān
上 散 步 。 她 看 见 11 只 野 天
é xiàng tā fēi lai
鹅 向 她 飞 来 。

8. 当太阳落山，野天鹅就会变成英俊的王子。
他们正是艾丽莎的哥哥。

9. 夜幕降临了，哥哥们用柳枝和芦苇织成网，让艾丽莎躺在上面睡觉。

10. 太阳升起来了，王子们又变成了野天鹅，带艾丽莎飞上天空。

世界童话名著 安徒生童话 彩图注音版

27

11. 野　天　鹅　落　在　一　座　大　山
　　yě　tiān　é　luò　zài　yí　zuò　dà　shān
　　前　栖　息　。夜　里　，艾　丽　莎
　　qián　qī　xī　　　yè　li　　ài　lì　shā
　　梦　见　一　位　仙　女　。
　　mèng　jiàn　yí　wèi　xiān　nǚ

12. 仙　女　说　，她　不　讲　一　句
　　xiān　nǚ　shuō　　tā　bù　jiǎng　yí　jù
　　话　，用　荨　麻　织　成　披　甲　，野
　　huà　　yòng　qián　má　zhī　chéng　pī　jiǎ　　yě
　　天　鹅　穿　上　就　能　变　成　人　。
　　tiān　é　chuānshang　jiù　néng　biàn　chéng　rén

13. 艾　丽　莎　醒　来　，立　刻　上
　　ài　lì　shā　xǐng　lai　　lì　kè　shàng
　　山　采　摘　荨　麻　。荨　麻　刺　破
　　shān　cǎi　zhāi　qián　má　　qián　má　cì　pò
　　了　手　臂　，可　她　不　停　手　。
　　le　shǒu　bì　　kě　tā　bù　tíng　shǒu

14. 采　到　荨　麻　，她　就　日　夜
　　cǎi　dào　qián　má　　tā　jiù　rì　yè
　　不　停　地　编　织　披　甲　，编　了
　　bù　tíng　de　biān　zhī　pī　jiǎ　　biān　le
　　一　件　又　一　件　，忘　了　休　息　。
　　yí　jiàn　yòu　yí　jiàn　　wàng　le　xiū　xi

15. 邻国的国王打猎时，发现了艾丽莎，把她带回王宫，娶她做王后。

16. 艾丽莎并没忘了哥哥们，到了晚上，她就偷跑出去采荨麻、织披甲。

17. 一天夜晚，艾丽莎又跑到教堂墓地里去采荨麻，被大主教看见了。

18. 大主教告诉国王，艾丽莎是妖怪，她背着国王干见不得人的事儿。

19. 国王问艾丽莎为什么要采荨麻，可艾丽莎什么话也不讲。

20. 国王确信艾丽莎是妖怪，把她关进地窖里，准备烧死她。

21. 在地窖里，艾丽莎连夜织成了第11件荨麻披甲。

22. 天亮了，艾丽莎走向刑场。她手里捧着荨麻披甲，焦急地等待着。

23. 全城的人都赶到刑场，大家要看看妖怪皇后是怎么被烧死的。

24. 这时，天空中飞来11只野天鹅，纷纷落在艾丽莎的脚下。

25. 艾丽莎把披甲抛了出
去。野天鹅们穿上披甲,
变成了英俊的王子。
ài lì shā bǎ pī jiǎ pāo le chū
qù。yě tiān é men chuānshang pī jiǎ
biàn chéng le yīng jùn de wáng zǐ。

26. 艾丽莎开口说出了真
相。人们明白了,感动
得流下泪水。
ài lì shā kāi kǒu shuō chu le zhēn
xiàng。rén men míng bai le,gǎn dòng
de liú xia lèi shuǐ。

27. 国王请求艾丽莎宽
恕,还在她胸前插上一
朵鲜花。
guó wáng qǐng qiú ài lì shā kuān
shù,hái zài tā xiōng qián chā shang yì
duǒ xiān huā。

28. 艾丽莎挽着国王,和
她的哥哥们回到王宫,
从此过着幸福的生活。
ài lì shā wǎn zhe guó wáng,hé
tā de gē ge men huí dào wáng gōng,
cóng cǐ guò zhe xìng fú de shēng huó。

bèn hàn hàn sī
笨 汉 汉 斯

1. cóng qián yǒu ge lǎo tóu 。 tā yǒu liǎng ge cōng míng de ér zi ， lǎo dà
从 前 有 个 老 头 。 他 有 两 个 聪 明 的 儿 子 ， 老 大
néng bèi zì diǎn ， lǎo èr huì xiù huā 。
能 背 字 典 ， 老 二 会 绣 花 。

2. hàn sī shì lǎo tóu de xiǎo ér zi ，
汉 斯 是 老 头 的 小 儿 子 ，
jiā li rén dōu rèn wéi tā méi yǒu xué
家 里 人 都 认 为 他 没 有 学
wen jiào tā bèn hàn hàn sī 。
问 ， 叫 他 笨 汉 汉 斯 。

3. zhè nián ， gōng zhǔ xuān bù ， tā yào
这 年 ， 公 主 宣 布 ， 她 要
zhǎo yí ge néng shuō huì dào de rén zuò
找 一 个 能 说 会 道 的 人 做
zhàng fu 。
丈 夫 。

世界童话名著 安徒生童话 彩图注音版

4. 老大和老二骑上马，准备进城向公主求婚。汉斯从屋里跑了出来。

5. 汉斯想跟哥哥们一起去王宫向公主求婚。哥哥们一起嘲笑他。

6. 汉斯请求父亲也给他一匹马骑。父亲却责骂他。

7. 哥哥们骑着马儿上路了。汉斯跨在山羊背上，两脚一夹，追了上去。

8. 　yí　lù shang　　　gē ge men kǔ kǔ de xiǎng zhe měi lì de shī jù，hàn
　　一　路　上，　哥　哥　们　苦　苦　地　想　着　美　丽　的　诗　句，汉
　sī　què jìn qíng de chàng gē。
　斯　却　尽　情　地　唱　歌。

世界童话名著
安徒生童话
彩图注音版

9. 　lù biān tǎng zhe yì zhī sǐ wū yā，
　路　边　躺　着　一　只　死　乌　鸦，
　hàn sī jiǎn qǐ lai shuō：　　　wǒ yào
　汉　斯　捡　起　来　说："　我　要
　bǎ tā sòng gěi gōng zhǔ！　　"
　把　它　送　给　公　主！　"

10. 　gē ge men cháo xiào tā。　hàn sī
　哥　哥　们　嘲　笑　他。　汉　斯
　háo bu zài hu　yòu shí qǐ bàn jié
　毫　不　在　乎，又　拾　起　半　截
　mù xié　yě zhǔn bèi sòng gěi gōng zhǔ
　木　鞋，也　准　备　送　给　公　主。

安徒生童话

笨汉汉斯

11. liǎng ge gē ge qí zhe mǎ pǎo yuǎn
两 个 哥 哥 骑 着 马 跑 远
le hàn sī yòu zhuā le yì bǎ ní
了 。 汉 斯 又 抓 了 一 把 泥
bā zhuāng jìn kǒu dai li
巴 ， 装 进 口 袋 里 。

12. wáng gōng qián qiú hūn de rén pái
王 宫 前 ， 求 婚 的 人 排
chéng yì tiáo cháng duì děng zhe qù jiàn
成 一 条 长 队 ， 等 着 去 见
gōng zhǔ
公 主 。

13. gōng zhǔ de wū zi li lú huǒ zhèng
公 主 的 屋 子 里 炉 火 正
wàng sān ge mì shū zhǔn bèi jì xia
旺 。 三 个 秘 书 准 备 记 下
qiú hūn zhě shuō de huà
求 婚 者 说 的 话 。

14. qiú hūn zhě yí ge ge zǒu jìn wū
求 婚 者 一 个 个 走 进 屋
li kě yí jiàn dào gōng zhǔ tā
里 ， 可 一 见 到 公 主 ， 他
men jiù xià de shuō bu chū huà
们 就 吓 得 说 不 出 话 。

15. 汉斯的大哥进去说：“真热啊！”公主说：
"我正要烤小鸡呢！"

16. 汉斯的大哥一句风趣的话也说不出了。公主赶走了他。

17. 汉斯的二哥进屋后说：“这儿真热！”公主说：“我准备烤只小鸡！”

18. 汉斯的二哥不知怎么回答公主，也被公主撵了出去。

19. 汉斯骑着山羊，一走进房间，就嚷道："啊，真热得厉害！"

20. 公主说："我正在烤小鸡呢！"汉斯说："好极了，我也可以烤乌鸦了！"

21. 公主高兴地说："欢迎你烤，不过你用什么烤呢？"

22. hàn sī qǔ chu nà bàn jié mù xié
汉斯取出那半截木鞋，
shuō qiáo zhè jiù shì guō shàng
说：“瞧，这就是锅，上
mian hái yǒu bǎ shǒu ne
面还有把手呢！”

笨汉汉斯

世界童话名著 安徒生童话

彩图注音版

23. gōng zhǔ shuō hái quē huáng yóu
公主说：“还缺黄油
a hàn sī jiù tāo chu yì bǎ
啊。”汉斯就掏出一把
ní bā shuō wǒ yǒu
泥巴说：“我有！”

24. gōng zhǔ pāi zhe shǒu xiào dào
公主拍着手，笑道：
nǐ shì ge néng shuō huì dào de rén
“你是个能说会道的人，
wǒ yuàn jià gěi nǐ
我愿嫁给你。”

25. 三个秘书听了，发出一阵傻笑。公主说："瞧，他们多傻啊！"

26. 汉斯把泥巴向他们脸上撒去，说："最好的礼物送给你们！"

27. 公主见了，乐得前俯后仰，夸奖汉斯是又风趣又聪明的人。

28. 笨汉汉斯和公主举行了隆重的婚礼。后来，汉斯还当上了国王哩！

jiān dìng de xī bīng
坚定的锡兵

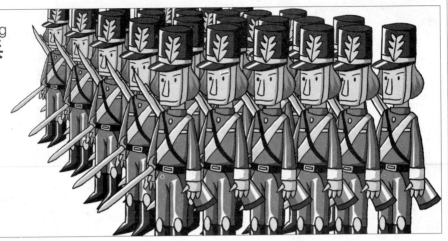

kào chuāng de zhuō zi shang zhàn zhe ge xī zuò de shì bīng jiān káng
1. 靠窗的桌子上站着25个锡做的士兵，肩扛
máo sè qiāng wàng zhe qián fāng
毛瑟枪，望着前方。

qí zhōng yí ge xī bīng zhǐ yǒu
2. 其中一个锡兵只有
yì tiáo tuǐ dàn tā réng jiān dìng
一条腿，但他仍坚定
de zhàn zhe
地站着。

zhuō zi lìng yì duān fàng zhe yí ge
3. 桌子另一端放着一个
zhǐ zuò de gōng diàn lǐ miàn yǒu dà
纸做的宫殿，里面有大
tīng xiǎo shù xiǎo hú hé xiǎo tiān é
厅、小树、小湖和小天鹅。

世界童话名著 安徒生童话 彩图注音版

4. 宫殿的门口站着一位纸剪的小姐。她正在跳舞哩！
gōng diàn de mén kǒu zhàn zhe yí wèi zhǐ jiǎn de xiǎo jiě tā zhèng zài tiào wǔ li

5. 独腿锡兵看着跳舞的小姐，心想：要是她做我的妻子该多好啊！
dú tuǐ xī bīng kàn zhe tiào wǔ de xiǎo jiě xīn xiǎng yào shi tā zuò wǒ de qī zi gāi duō hǎo a

6. 这时从鼻烟壶里蹿出来个黑妖精，对锡兵吼道："别想入非非啦！"独腿锡兵不理睬他。黑妖精说："等着瞧吧，你会受到惩罚的！"
zhè shí cóng bí yān hú li cuān chu lai ge hēi yāo jing duì xī bīng hǒu dào bié xiǎng rù fēi fēi la dú tuǐ xī bīng bù lǐ cǎi tā hēi yāo jing shuō děng zhe qiáo ba nǐ huì shòu dào chéng fá de

8. bào yǔ guò hòu ，liǎng ge xiǎo hái
暴 雨 过 后 ， 两 个 小 孩
fā xiàn le tā 。 tā men bǎ xī bīng
发 现 了 他 。 他 们 把 锡 兵
fàng jìn xiǎo zhǐ chuán li 。
放 进 小 纸 船 里 。

7. xiǎo zhǔ rén bǎ dú tuǐ xī bīng yí
小 主 人 把 独 腿 锡 兵 移
dào chuāng tái shang 。 hū rán yí zhèn fēng
到 窗 台 上 。 忽 然 一 阵 风
jiāng tā chuī dào lóu xià 。
将 他 吹 到 楼 下 。

9. xī bīng zhàn zài xiǎo zhǐ chuán shang ，
锡 兵 站 在 小 纸 船 上 ，
yán zhe shuǐ gōu shùn liú ér xià 。 liǎng
沿 着 水 沟 顺 流 而 下 。 两
ge xiǎo hái gēn zài hòu mian pǎo 。
个 小 孩 跟 在 后 面 跑 。

10. 忽然，冲来一阵激流，小纸船流进下水道里。

11. 四周顿时一片漆黑。锡兵想：要是那位跳舞的小姐在这儿就好啦！

12. 一只大老鼠拦住他，问："你有通行证吗？"锡兵握紧枪，不理它。

13. 大老鼠张牙舞爪地扑过来，可是纸船已顺着激流飞快地漂走了。

14. zhǐ chuán liú jìn le yùn hé 。 ā ， yí ge làng tou dǎ lai ， zhǐ chuán fān le 。
纸 船 流 进 了 运 河 。 啊 ， 一 个 浪 头 打 来 ， 纸 船 翻 了 。

15. xī bīng màn màn de chén xia qu ，
锡 兵 慢 慢 地 沉 下 去 ，
tā bù jīn yòu xiǎng qi tiào wǔ de xiǎo
他 不 禁 又 想 起 跳 舞 的 小
jiě
姐 。

16. yì tiáo dà yú yóu guo lai ， yì
一 条 大 鱼 游 过 来 ， 一
kǒu jiāng xī bīng tūn xia dù
口 将 锡 兵 吞 下 肚 。

17. 不知过了多久，只见亮光一闪，鱼肚子被剖开了。

18. 剖鱼的正是小主人家的女佣。她把锡兵拿到客厅给小主人看。

19. 小主人夸赞道："多了不起的锡兵，他在鱼肚里做了一番旅行！"

20. 锡兵被放回桌上，又看到了跳舞的小姐。她仍一条腿站着！

21. 她多坚定啊！锡兵望着她，感动得差点流下泪来。她也望着他。

22. 这时，顽皮的小主人拿起锡兵，用力一扔，把他扔进火炉。

23. 锡兵觉得身体在慢慢融化，他望了望跳舞的小姐，她也望着他。

世界童话名著 安徒生童话 彩图注音版

24. 忽然一阵风刮来。跳舞的小姐被风吹起，飞进火炉里。

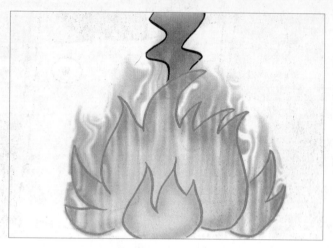

25. 跳舞的小姐飞到锡兵身旁，化为火焰，立刻不见了。

26. 炉火越烧越旺，锡兵渐渐融化，最后化成一个锡块。

27. 第二天，女佣倒炉灰时，发现锡兵的锡心已变成了一颗小小的爱心。

48

dǎ huǒ xiá
打 火 匣

yǒu wèi shì bīng tuì wǔ huí jiā le   tā bēi zhe xíng zhuāng   yì biān zǒu yì
1. 有位士兵退伍回家了。他·背着行装，一边走一
biān hē
边喝。

bàn lù shang   yí ge lǎo wū pó
2. 半 路 上 ， 一 个 老 巫 婆
lán zhù tā shuō   shì bīng nǐ xiǎng
拦 住 他 说 ：" 士 兵 ， 你 想
fā cái ma suí wǒ lái ba
发 财 吗 ？随 我 来 吧 ！"

lǎo wū pó lǐng tā zǒu dào shù dòng
3. 老 巫 婆 领 他 走 到 树 洞
qián shuō   xià qu ba   ná dào
前 说 ：" 下 去 吧 ！拿 到
qián guī nǐ   wǒ zhǐ yào dǎ huǒ xiá
钱 归 你 ，我 只 要 打 火 匣 ！"

世界童话名著
安徒生童话
彩图注音版

5. yì zhī xiǎo gǒu zhèng shǒu zhe qián xiāng
一只小狗正守着钱箱。
shì bīng dǎ kāi qián xiāng kàn jian lǐ
士兵打开钱箱，看见里
miàn zhuāng mǎn le jīn zi
面装满了金子。

6. shì bīng dà bǎ dà bǎ de zhuāng qián
士兵大把大把地装钱，
lián mào zi li pí xuē li yě sāi
连帽子里、皮靴里也塞
de mǎn mǎn de
得满满的。

50

4. shì bīng zhuā zhe shéng zi huá xia qu
士兵抓着绳子滑下去。
ā shù dòng dǐ yǒu yí ge dà tīng
啊，树洞底有一个大厅，
lǐ miàn dēng huǒ tōng míng
里面灯火通明。

7. 最后，士兵找到了打火匣，装进衣袋里，然后喊老巫婆拉他上去。

8. 老巫婆向他要打火匣。士兵问："你要打火匣有什么用呢？"

世界童话名著 安徒生童话 彩图注音版

9. 老巫婆不告诉他。士兵气坏了，挥剑杀死她，然后继续赶路。

10. 士兵成了富翁啦！他来到京城里，住进最豪华的旅馆。

11. 士兵结交了许多朋友，每天都去看戏，还将钱大把地送给穷人们。

12. 可是不久，士兵就花光了钱，只好搬到草屋里去住。

13. 天黑了，士兵忽然想到打火匣里有根蜡烛，就拿了出来。

14. 士兵擦亮打火匣。门自动开了，树洞里见过的那只小狗跑了出来。

15. 小狗说："主人，您
xiǎo gǒu shuō　　　　　zhǔ rén　　nín
有什么吩咐？"士兵说：
yǒu shén me fēn fù　　　　shì bīng shuō
"帮我弄些钱来吧！"
bāng wǒ nòng xiē qián lái ba

16. 小狗不见了。一会儿
xiǎo gǒu bú jiàn le　　　yí huì·er
它衔着一大袋钱跑回来。
tā xián zhe yí dà dài qián pǎo huí lai

17. 士兵又富啦！他又搬进豪华的旅馆，每天请
shì bīng yòu fù la　　tā yòu bān jìn háo huá de lǚ guǎn　　měi tiān qǐng
朋友们大吃大喝。
péng you men dà chī dà hē

世界童话名著　安徒生童话　彩图注音版

18. 有位朋友告诉他："公主美极了！"士兵想见到公主。

19. 晚上，士兵擦亮打火匣，小狗跑了出来。士兵让它把公主背来。

20. 小狗把熟睡的公主背来了。士兵吻了她一下，又叫小狗背她回去。

21. guó wáng hé huáng hòu zhī dào le zhè
国 王 和 皇 后 知 道 了 这
jiàn shì xià lìng bǎ shì bīng zhuā jìn
件 事 ， 下 令 把 士 兵 抓 进
láo fáng zhǔn bèi jiǎo sǐ tā
牢 房 ， 准 备 绞 死 他 。

22. shì bīng xiǎng ràng dǎ huǒ xiá jiù tā
士 兵 想 让 打 火 匣 救 他 。
kě dǎ huǒ xiá zài lǚ guǎn li zěn
可 打 火 匣 在 旅 馆 里 ， 怎
me bàn
么 办 ？

23. yí wèi xiǎo xié jiàng cóng chuāng páng zǒu
一 位 小 鞋 匠 从 窗 旁 走
guo shì bīng gěi tā sì méi jīn bì
过 。 士 兵 给 他 四 枚 金 币 ，
qǐng tā qù qǔ dǎ huǒ xiá
请 他 去 取 打 火 匣 。

24. tiān liàng le shì bīng bèi sòng shang
天 亮 了 ， 士 兵 被 送 上
jiǎo xíng jià guó wáng huáng hòu hé
绞 刑 架 。 国 王 、 皇 后 和
bǎi xìng dōu wéi guo lai kàn
百 姓 都 围 过 来 看 。

世界童话名著 安徒生童话 彩图注音版

25. 小鞋匠把打火匣递给士兵。士兵擦擦打火匣说："赶走国王！"

26. 小狗又出现了。它对着国王和皇后汪汪大叫，把他们抛上天空。

27. 刽子手都吓跑了。人们欢呼起来："士兵，你做我们的国王吧！"

28. 士兵娶了公主，当上了国王。婚礼上，小狗还跑来向士兵祝贺哩！

tiào zao hé jiào shòu
跳蚤和教授

hěn jiǔ yǐ qián, yǒu wèi qì qiú jià shǐ yuán jià zhe rè qì qiú, dài
1. 很 久 以 前 ， 有 位 气 球 驾 驶 员 驾 着 热 气 球 ， 带
zhe tā de ér zi zhōu yóu shì jiè
着 他 的 儿 子 周 游 世 界 。

yì tiān, rè qì qiú tū rán bào
2. 一 天 ， 热 气 球 突 然 爆
zhà, qì qiú jià shǐ yuán diē xia lai
炸 ， 气 球 驾 驶 员 跌 下 来 ，
shuāi sǐ le
摔 死 了 。

tā de ér zi zhēn zǒu yùn, qià
3. 他 的 儿 子 真 走 运 ， 恰
qiǎo guà zài dà shù de shù chā shang
巧 挂 在 大 树 的 树 杈 上 ，
méi yǒu shuāi shāng
没 有 摔 伤 。

世界童话名著 安徒生童话 彩图注音版

4. 气球驾驶员的儿子为
了生存，学会了玩魔术
谋生，人们都叫他教授。

5. 教授长大了，成了英
俊的小伙子。一位漂亮
小姐和他结了婚。

6. 教授一心想拥有一只
热气球，驾着它同太太
周游世界。但他没钱买。

7. 教授开了个魔术馆，
为人们表演魔术。他的
太太坐在门口卖票。

世界童话名著 安徒生童话 彩图注音版

8. 人们为了与教授的太太见上一面，纷纷来看
表演。生意好极了！

9. 一年年过去了，教授
的太太不愿再过穷日子，
悄悄地离开了家。

10. 太太走了，人们再也
不来看教授演魔术了。
教授变得更加贫穷。

11. 一天，教授正在整理太太的衣服，忽然，衣服里蹦出一只大跳蚤。

12. 这跳蚤又可爱又聪明，它跟教授学变魔术，还会举枪敬礼和放炮。

13. 教授带着跳蚤去旅行，为各国的王子和公主表演魔术。

14. 他们走遍了许多国家。最后，教授决定和跳蚤到野人国去表演。

15. yí lù shang，jiào shòu hé tiào zao
一路上，教授和跳蚤
wèi rén men biǎo yǎn mó shù，méi huā
为人们表演魔术，没花
yì fēn qián jiù dào le yě rén guó
一分钱就到了野人国。

16. yě rén guó de tǒng zhì zhě shì yí
野人国的统治者是一
wèi xiǎo gōng zhǔ，tā zhǐ yǒu suì què
位小公主，她只有6岁，却
fēi cháng rèn xìng wán pí
非常任性顽皮。

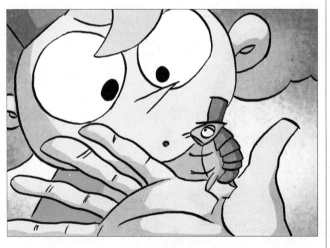

17. tiào zao yí jiàn dào gōng zhǔ jiù jǔ
跳蚤一见到公主就举
qiāng jìng lǐ，hái fàng le pào xiǎo
枪敬礼，还放了炮。小
gōng zhǔ yí xià zi mí shang le tā
公主一下子迷上了它。

18. 小公主对跳蚤说："你和我一起统治国家吧！你不听话，就杀掉你。"

19. 小公主用头发绑住跳蚤的腿，系在她的耳坠子上。

20. 教授住进豪华的房子里，不愁吃喝，他仍盼望得到一只热气球。

21. 教授厌烦了王宫里的生活，他多想和跳蚤一起去旅行啊！

22. 教授想了个好主意。他去见国王，说："我想
教你的人民学本领。"

23. 国王问他教什么。教
授说："教会他们放炮，
打天上的鸟儿。"

24. 国王同意了。教授请
国王提供材料，他要亲
自造一门大炮。

25. 不久，教授需要的材料都备齐了。人们一起拥来看他造大炮。

26. 教授用绸布、针线和绳子做了热气球。热气球慢慢往上升。

27. 公主带着跳蚤赶来了。教授说："我需要跳蚤帮我放炮。"公主同意了。

28. 跳蚤和教授爬进热气球。热气球升上天，他们又去周游世界啦！

shén qí de dà zhōng
神奇的大钟

世界童话名著　安徒生童话

彩图注音版

1. yí wèi guó wáng xuān bù, shuí néng zuò yí jiàn zuì nán shǐ rén xiāng xìn de
一位国王宣布，谁能做一件最难使人相信的
shì, shuí jiù kě yǐ qǔ gōng zhǔ
事，谁就可以娶公主。

2. xǔ duō rén wèi zhè shì jiǎo jìn nǎo zuì
许多人为这事绞尽脑最
zhī nán shǐ rén xiāng xìn ne
汁。难使人相信呢？
shén me yàng de shì shì qing cái
什么样的事事情才

3. yǒu liǎng ge rén bǎ zì jǐ yǎo sǐ sǐ
有两个人把自己咬死死
le le, yǒu yí ge zhè xiē shì hěn wú liáo
了了，有一个这些事很无聊
kě jiù hē zuì zuì
可就喝醉醉

4. 孩子们都在练习朝自己背上吐唾沫，以此来使人相信，这己是最难做使人相信的事。

5. 有一位年轻的艺术家决心试一试，做出最难使人相信的事。

6. 他精心设计了一座大钟。大钟外观精美，设计巧妙，非常神奇！

7. 每敲一次，钟里就会又跑出能动的小人儿，又唱又跳，快乐极了！

8. 钟敲一下，天神出来诫
了，他在石板上写下
条：上帝只有一个。

9. 钟敲两下，伊甸园出
现了。亚当和夏娃正在
这儿约会哩！

10. 钟敲三下了，东西方的
圣者跑出来，捧来熏
香和贵重的物品。

11. 钟敲响第下，一位守夜人挥舞木棒，唱起古老的守夜歌。

12. 人们都看呆了，齐声说道："这才是最难使人相信的艺术品啊！"

13. 评判的那天，全城张灯结彩，欢呼雀跃。公主也赶来了。

14. 大厅里，大家都向年轻的艺术家祝贺，认为他一定会娶到公主。

15. zhè shí gōng zhǔ de mǎ chē fū tí zhe fǔ tóu chōng jin lai， rǎng dào：
这时公主的马车夫提着斧头冲进来，嚷道：
zhè yǒu shén me liǎo bu qǐ de
"这有什么了不起的？"

16. tā jǔ fǔ tóu cháo dà zhōng yòng lì
他举斧头朝大钟用力
yì kǎn， dà zhōng suì le， líng jiàn
一砍，大钟碎了，零件
sàn le yí dì
散了一地。

17. dà jiā jīng dāi le， jiào dào：
大家惊呆了，叫道：
nǐ bǎ zuì měi de yì shù pǐn huǐ
"你把最美的艺术品毁
le， zhēn lìng rén nán yǐ xiāng xìn
了，真令人难以相信！"

69

18. 裁判们只好宣布马车夫获胜，他将娶到美丽的公主。

19. 马车夫趾高气扬地挽着公主去举行婚礼，可公主一点也不高兴。

20. 大钟的各种零件走进了教堂，停在马车夫和公主中间。

21. 啊，这些零件眨眼间又合成一只完整的大钟。大钟又敲了起来。

世界童话名著 安徒生童话 彩图注音版

22. 天神第一个跑出来，举起刻着诫条的石块，
压在马车夫身上。

23. 接着，亚当和夏娃跑出来，羞辱马车夫感到羞耻。一点也不

24. 钟敲了12下，守夜人挥着木棒跑出来，把马车夫揍了个半死。

25. shǒu yè rén shuō wǒ men wèi
守夜人说："我们为
zì jǐ yě wèi yì shù jiā bào le
自己，也为艺术家报了
chóu wǒ men yào zǒu le
仇！我们要走了！"

26. shuō wán dà zhōng bú jiàn le
说完，大钟不见了。
jiào táng li là zhú biàn chéng le méi gui
教堂里蜡烛变成了玫瑰，
fēng qín zì dòng tán zòu
风琴自动弹奏。

27. nián qīng de yì shù jiā lái le
年轻的艺术家来了。
gōng zhǔ gāo xìng de shuō nǐ cái
公主高兴地说："你才
pèi zuò wǒ de zhàng fu ne
配做我的丈夫呢！"

28. dà huǒ dōu xiàng tā zhù fú méi
大伙都向他祝福，没
yǒu rén jí dù tā zhè zhēn shì zuì
有人嫉妒他。这真是最
nán shǐ rén xiāng xìn de shì a
难使人相信的事啊！

kè tīng li yǒu yì zhī lǎo mù wǎn guì　　kè mǎn le méi gui hé yù jīn
1. 客 厅 里 有 一 只 老 木 碗 柜 ， 刻 满 了 玫 瑰 和 郁 金
xiāng　　hái yǒu xióng lù de tóu
香 ， 还 有 雄 鹿 的 头 。

wǎn guì zhōng yāng diāo kè zhe yí ge
2. 碗 柜 中 央 雕 刻 着 一 个
rén xiàng　　yǒu zhe gōng shān yáng de tuǐ
人 像 ， 有 着 公 山 羊 的 腿 ，
rén men jiào tā　　gōng shān yáng tuǐ
人 们 叫 他 " 公 山 羊 腿 " 。

gōng shān yáng tuǐ　　wàng zhe zhuō zi
3. " 公 山 羊 腿 " 望 着 桌 子 ，
xiǎng qǔ zhuō shang nà ge cí zuò de xiǎo
想 娶 桌 上 那 个 瓷 做 的 小
mù yáng nǚ
牧 羊 女 。

世界童话名著 安徒生童话 彩图注音版

4. xiǎo mù yáng nǚ chuān zhe dù jīn de
小 牧 羊 女 穿 着 镀 金 的
xié zi dài zhe yì dǐng jīn mào zi
鞋 子 ，戴 着 一 顶 金 帽 子 。
tā zhǎng de duō mí rén a
她 长 得 多 迷 人 啊 !

5. jǐn kào xiǎo mù yáng nǚ de shì
紧 靠 小 牧 羊 女 的 ，是
cí zuò de sǎo yān cōng de rén tā
瓷 做 的 扫 烟 囱 的 人 。 他
hé xiǎo mù yáng nǚ yǐ sī xià dìng hūn
和 小 牧 羊 女 已 私 下 订 婚 。

6. tā liǎ shēn hòu yǒu yí ge nián lǎo
他 俩 身 后 有 一 个 年 老
de zhōng guó cí rén tā shuō zì jǐ
的 中 国 瓷 人 ， 他 说 自 己
shì xiǎo mù yáng nǚ de zǔ fù
是 小 牧 羊 女 的 祖 父 。

7. zhōng guó cí rén duì xiǎo mù yáng nǚ
中 国 瓷 人 对 小 牧 羊 女
shuō nǐ jià gěi gōng shān yáng
说 ："你 嫁 给 '公 山 羊
tuǐ tā yǒu xǔ duō yín pán zi
腿 '! 他 有 许 多 银 盘 子 。"

8. xiǎo mù yáng nǚ shuō wǒ bú yuàn dāi zài hēi àn de wǎn guì li
小 牧 羊 女 说 ：" 我 不 愿 呆 在 黑 暗 的 碗 柜 里 ，
tā yǐ yǒu ge cí tài tai le
他 已 有 11 个 瓷 太 太 了 。"

9. zhōng guó cí rén qì huài le shuō
中 国 瓷 人 气 坏 了 ， 说 ：
jīn wǎn lǎo mù wǎn guì gā gā
" 今 晚 ， 老 木 碗 柜 嘎 嘎
xiǎng shí nǐ jiù suàn jié hūn le
响 时 ， 你 就 算 结 婚 了 。"

10. zhōng guó cí rén shuì jiào le xiǎo
中 国 瓷 人 睡 觉 了 。 小
mù yáng nǚ duì sǎo yān cōng de rén shuō
牧 羊 女 对 扫 烟 囱 的 人 说 ：
dài wǒ zǒu ba
" 带 我 走 吧 ！"

世界童话名著 安徒生童话 彩图注音版

11. sǎo yān cōng de rén ná lai tī zi
扫 烟 囱 的 人 拿 来 梯 子 ，
lǐng zhe xiǎo mù yáng nǚ yán zhe zhuō tuǐ
领 着 小 牧 羊 女 沿 着 桌 腿
zǒu xia lai
走 下 来 。

12. "gōng shān yáng tuǐ" qì de dà rǎng
"公 山 羊 腿" 气 得 大 嚷
dà jiào tā men sī bēn le kuài
大 叫 ："他 们 私 奔 了 ，快
zhuō zhù tā men
捉 住 他 们 ！"

13. tā men tīng le fēi cháng hài pà
他 们 听 了 非 常 害 怕 ，
zuān jìn chuāng tái xià de chōu tì li duǒ
钻 进 窗 台 下 的 抽 屉 里 躲
qi lai
起 来 。

14. chōu tì li shì xiǎo mù ǒu jù chǎng
抽 屉 里 是 小 木 偶 剧 场 ，
mù ǒu men zhèng zài yǎn xì
木 偶 们 正 在 演 戏 。

15. 戏里演的是两个年轻人相爱了，却没法结成
夫妻，多可怜呀！

16. 小牧羊女哭起来，对
扫烟囱的人说："快带
我走出这个抽屉！"

17. 他们来到地面上，发气
现中国瓷人醒了，正
得浑身乱颤。

18. xiǎo mù yáng nǚ xià huài le jiān
小 牧 羊 女 吓 坏 了 ， 尖
jiào yì shēng zhōng guó cí rén zǒu
叫 一 声 ： "中 国 瓷 人 走
lai le zěn me bàn ya
来 了 ， 怎 么 办 呀 ？"

19. sǎo yān cōng de rén shuō nǐ
扫 烟 囱 的 人 说 ： "你
yǒu yǒng qì gēn wǒ táo chu zhè wū zi
有 勇 气 跟 我 逃 出 这 屋 子
ma wài mian shì jiè hěn dà a
吗 ？外 面 世 界 很 大 啊 ！"

20. xiǎo mù yáng nǚ dā ying le tā
小 牧 羊 女 答 应 了 。 他
men yì qǐ pá jìn lú zi shùn zhe
们 一 起 爬 进 炉 子 ， 顺 着
yān cōng pá xiàng wū dǐng
烟 囱 ， 爬 向 屋 顶 。

21. tā men pá ya pá ya pá dào
他 们 爬 呀 爬 呀 ， 爬 到
le yān cōng kǒu shang tiān shang xīng guāng
了 烟 囱 口 上 。 天 上 星 光
shǎn shuò zhēn měi a
闪 烁 ， 真 美 啊 ！

22. 可小牧羊女又哭了，说："这世界太大了，
kě xiǎo mù yáng nǚ yòu kū le shuō zhè shì jiè tài dà le

我情愿回到桌上去！"
wǒ qíng yuàn huí dào zhuō shang qù

23. 扫烟囱的人没办法，
sǎo yān cōng de rén méi bàn fǎ

只好又领着小牧羊女爬
zhǐ hǎo yòu lǐng zhe xiǎo mù yáng nǚ pá

下烟囱，回到客厅。
xia yān cōng huí dào kè tīng

24. 客厅里一片寂静。中
kè tīng li yí piàn jì jìng zhōng

国瓷人躺在地上，已跌
guó cí rén tǎng zài dì shang yǐ diē

成碎片。
chéng suì piàn

世界童话名著 安徒生童话 彩图注音版

25. 小牧羊女伤心地说：
xiǎo mù yáng nǚ shāng xīn de shuō
"老祖父跌成碎片，这
lǎo zǔ fù diē chéng suì piàn zhè
是我们的过错呀！"
shì wǒ men de guò cuò ya

26. 扫烟囱的人说："别
sǎo yān cōng de rén shuō bié
担心，他可以补好的。"
dān xīn tā kě yǐ bǔ hǎo de
他俩又站到桌上。
tā liǎ yòu zhàn dào zhuō shang

27. 中国瓷人被修好了，
zhōng guó cí rén bèi xiū hǎo le
脖子被钉了根大铁钉，
bó zi bèi dìng le gēn dà tiě dǐng
再也不能点头了。
zài yě bù néng diǎn tóu le

28. 扫烟囱的人和小牧羊
sǎo yān cōng de rén hé xiǎo mù yáng
女从此站在桌上，一直
nǚ cóng cǐ zhàn zài zhuō shang yì zhí
相亲相爱。
xiāng qīn xiāng ài

lǎo tóu zi zuò shì bú huì cuò
老头子做事不会错

世界童话名著 安徒生童话 彩图注音版

cóng qián, xiāng xia yǒu duì lǎo fū qī, zhù zài pò cǎo wū li, zhǐ
1. 从前，乡下有对老夫妻，住在破草屋里，只
yǒu yì pǐ mǎ, rì zi hěn qīng kǔ
有一匹马，日子很清苦。

lín jū men jīng cháng xiàng tā men jiè
2. 邻居们经常向他们借
mǎ yòng。 měi cì, lǎo fū fù dōu
马用。每次，老夫妇都
kāng kǎi dā ying le。
慷慨答应了。

kě lǎo tài pó duì zhè pǐ mǎ bú
3. 可老太婆对这匹马不
tài mǎn yì, xiǎng yòng tā huàn bié de ne?
太满意，想用它换别的呢？
dōng xi, dàn huàn shén me hǎo
东西，但换什么好

4. 她对老头子说："你做的事总不会错，你到集上用马随便换什么吧！"

5. 她替老头子系好围巾，吻了他一下，扶他骑上马，送他上路了。

6. 路上挤满了去镇上赶集的人，有的骑马，有的步行，真热闹啊！

7. 有个人赶着一头母牛。老头子想：用马换母牛一定合算。

8. 老头子和牵牛的人谈
lǎo tóu zi hé qiān niú de rén tán
好交易，用马换来了那
hǎo jiāo yì yòng mǎ huàn lai le nà
头母牛。
tóu mǔ niú

9. 老头子想：老太婆叫
lǎo tóu zi xiǎng lǎo tài pó jiào
我去赶集，我就到镇上
wǒ qù gǎn jí wǒ jiù dào zhèn shang
走一趟吧！
zǒu yí tàng ba

10. 老头子继续赶路，追上了一个赶羊的人。那
lǎo tóu zi jì xù gǎn lù zhuī shang le yí ge gǎn yáng de rén nà
只羊长得真壮实！
zhǐ yáng zhǎng de zhēnzhuàng shi

世界童话名著 安徒生童话 彩图注音版

11. 老头子拍拍赶羊人的肩膀说："喂，我用母牛换你的羊，好吗？"

12. 赶羊的人当然愿意换，生意又谈成了。老头子牵着羊继续往前走。

13. 没走多远，他又看到一个人夹着肥鹅。于是，他用羊换了那只鹅。

14. 快到镇上时，老头看见收税官抱着母鸡站在路边。

15. 那 母 鸡 长 得 太 漂 亮
了！老 头 子 上 前 和 收 税
官 谈 交 易。

16. 收 税 官 抱 起 老 头 子 的
肥 鹅 走 了。老 头 子 拎 着
母 鸡 往 酒 店 走 去。

17. 伙 计 扛 着 一 大 袋 东 西 走 出 来。老 头 子 问："袋
里 装 的 是 什 么 呀？"

世界童话名著 安徒生童话 彩图注音版

85

18. huǒ ji shuō shì làn píng guǒ
伙 计 说:"是 烂 苹 果。"
lǎo tóu zi xiǎng zhè me duō píng guǒ
老 头 子 想:这 么 多 苹 果,
lǎo tài pó yí dìng xǐ huan
老 太 婆 一 定 喜 欢。

19. lǎo tóu zi yòng mǔ jī huàn xia zhè
老 头 子 用 母 鸡 换 下 这
dài làn píng guǒ chī lì de káng jìn
袋 烂 苹 果, 吃 力 地 扛 进
jiǔ diàn zuò le xià lái
酒 店, 坐 了 下 来。

20. liǎng ge yǒu qián de yīng guó rén kàn
两 个 有 钱 的 英 国 人 看
jiàn le lǎo tóu zi tóng tā jiāo tán
见 了 老 头 子, 同 他 交 谈
qǐ lai
起 来。

21. lǎo tóu zi biān hē jiǔ biān bǎ
老 头 子 边 喝 酒, 边 把
tā yí lù shang suǒ zuò de jiāo yì jiǎng
他 一 路 上 所 做 的 交 易 讲
gěi liǎng ge yīng guó rén tīng
给 两 个 英 国 人 听。

22. yīng guó rén tīng le，chī jīng de po po
英 国 人 听 了 ，吃 惊 地 老 婆
shuō："huí dào jiā nǐ
说 ： " 回 到 家 ，你
zhǔn yào zòu nǐ yí dùn！"
准 要 揍 你 一 顿 ！"

23. lǎo tóu zi shuō："bù，tā huì lǎo
老 头 子 说 ： " 不 ，她 会 老
wěn wǒ，hái huì kuā wǒ shuō de
吻 我 ，还 会 夸 我 说 的
tóu zi zuò shì zǒng shì duì de。"
头 子 做 事 总 是 对 的 。"

世界童话名著
安徒生童话
彩图注音版

24. liǎng ge yīng guó rén bù xiāng xìn，ná chu yí dài jīn bì，gēn lǎo tóu
两 个 英 国 人 不 相 信 ，拿 出 一 袋 金 币 ，跟 老 头
zi dǎ dǔ。
子 打 赌 。

25. 老头子坐着英国人的马车回到家，对老太婆讲了他所做的交易。

26. 他讲到换回一袋烂苹果时，老太婆高兴地说："太好了，我要奖赏你！"

27. 她扑上来在老头子脸上响亮地吻了一下。两个英国人认输了。

28. 两个英国人感慨道："他们很贫穷，却很快乐，这本身就值钱啊！"

xiǎo dù kè
小 杜 克

世界童话名著 **安徒生童话** 彩图注音版

1.　　bàng wǎn　　xiǎo dù kè ràng mèi mei zuò zài tuǐ shang　　biān hǒng tā wán
傍 晚 ， 小 杜 克 让 妹 妹 坐 在 腿 上 ， 边 哄 她 玩 ，
　biān fān kàn dì lǐ kè běn
边 翻 看 地 理 课 本 。

　　　míng tiān jiù yào kǎo shì le kě
2.　明 天 就 要 考 试 了 ， 可
hái yǒu xǔ duō chéng shì míng hé lì shǐ
还 有 许 多 城 市 名 和 历 史
zhī shi méi jì shú zěn me bàn
知 识 没 记 熟 ， 怎 么 办 ？

　　chuāng wài zǒu guo yí ge xǐ yī lǎo
3.　窗 外 走 过 一 个 洗 衣 老
tài pó pó tā zǒu dào shuǐ jǐng páng
太 婆 婆 ， 她 走 到 水 井 旁 ，
chī lì de qù dǎ shuǐ
吃 力 地 去 打 水 。

4. 老太婆连走路的力气
都快没有了，真可怜呀！
小杜克忙跑去帮她。

5. 小杜克回来时天已黑
了。家里买不起蜡烛，
他只好上床睡觉。

6. 忽然，他听见洗衣老
太婆对他说："让我来
帮你记功课吧！"

7. 他枕的那本地理书动
了起来，竟变成一只却
格镇上的老母鸡。

世界童话名著 安徒生童话 彩图注音版

8. 老母鸡告诉小杜克却格镇上有多少居民，那儿曾经打过一次仗。

9. 一只木雕鹦鹉说："布列斯托城的居民和我身上的钉子一样多。"

10. 小杜克爬起来，骑上马，穿过大森林，来到古城伏尔丁堡。

91

11. 宫殿外有许多高塔，里面灯火通明，国王正和宫女们跳舞哩！

12. 太阳升起来了，国王的宫殿沉了下去，那些高塔也消失了。

13. 一个水手走过来，向小杜克敬礼，说："欢迎你来柯苏尔城！"

14. 水手领着小杜克参观柯苏尔城，又把城里的情况一一介绍给他听。

15. 柯苏尔城和水手消失了，海湾上出现了一座美丽的教堂。
kē sū ěr chéng hé shuǐ shǒu xiāo shī le hǎi wān shang chū xiàn le yí zuò měi lì de jiào táng

16. 山泉从教堂前潺潺流过，一位国王正坐在山泉旁休息。
shān quán cóng jiào táng qián chán chán liú guo yí wèi guó wáng zhèng zuò zài shān quán páng xiū xi

17. 他就是"泉水旁的赫洛尔王"，他说："你要记住王国的各个省份！"
tā jiù shì quán shuǐ páng de hè luò ěr wáng tā shuō nǐ yào jì zhù wáng guó de gè ge shěng fèn

18. 忽然一切东西都不见了。接着，苏洛城的一个老农妇走了过来。
hū rán yí qiè dōng xi dōu bú jiàn le jiē zhe sū luò chéng de yí ge lǎo nóng fù zǒu le guò lái

小杜克

世界童话名著 安徒生童话

彩图注音版

93

19. <ruby>农<rt>nóng</rt></ruby><ruby>妇<rt>fù</rt></ruby><ruby>说<rt>shuō</rt></ruby>：" <ruby>我<rt>wǒ</rt></ruby><ruby>住<rt>zhù</rt></ruby><ruby>的<rt>de</rt></ruby><ruby>城<rt>chéng</rt></ruby><ruby>市<rt>shì</rt></ruby><ruby>像<rt>xiàng</rt></ruby><ruby>一<rt>yì</rt></ruby><ruby>只<rt>zhī</rt></ruby><ruby>瓶<rt>píng</rt></ruby><ruby>子<rt>zi</rt></ruby>。" <ruby>说<rt>shuō</rt></ruby><ruby>完<rt>wán</rt></ruby>，<ruby>她<rt>tā</rt></ruby><ruby>变<rt>biàn</rt></ruby><ruby>成<rt>chéng</rt></ruby><ruby>青<rt>qīng</rt></ruby><ruby>蛙<rt>wā</rt></ruby><ruby>蹦<rt>bèng</rt></ruby><ruby>走<rt>zǒu</rt></ruby><ruby>了<rt>le</rt></ruby>。

20. <ruby>忽<rt>hū</rt></ruby><ruby>然<rt>rán</rt></ruby>，<ruby>小<rt>xiǎo</rt></ruby><ruby>杜<rt>dù</rt></ruby><ruby>克<rt>kè</rt></ruby><ruby>的<rt>de</rt></ruby><ruby>妹<rt>mèi</rt></ruby><ruby>妹<rt>mei</rt></ruby><ruby>变<rt>biàn</rt></ruby><ruby>成<rt>chéng</rt></ruby><ruby>漂<rt>piào</rt></ruby><ruby>亮<rt>liang</rt></ruby><ruby>小<rt>xiǎo</rt></ruby><ruby>姐<rt>jiě</rt></ruby>，<ruby>挽<rt>wǎn</rt></ruby><ruby>着<rt>zhe</rt></ruby><ruby>小<rt>xiǎo</rt></ruby><ruby>杜<rt>dù</rt></ruby><ruby>克<rt>kè</rt></ruby><ruby>飞<rt>fēi</rt></ruby><ruby>起<rt>qǐ</rt></ruby><ruby>来<rt>lai</rt></ruby>。

21. <ruby>飞<rt>fēi</rt></ruby><ruby>呀<rt>ya</rt></ruby><ruby>飞<rt>fēi</rt></ruby><ruby>呀<rt>ya</rt></ruby>，<ruby>他<rt>tā</rt></ruby><ruby>们<rt>men</rt></ruby><ruby>飞<rt>fēi</rt></ruby><ruby>过<rt>guo</rt></ruby><ruby>绿<rt>lù</rt></ruby><ruby>色<rt>sè</rt></ruby><ruby>的<rt>de</rt></ruby><ruby>森<rt>sēn</rt></ruby><ruby>林<rt>lín</rt></ruby>，<ruby>飞<rt>fēi</rt></ruby><ruby>过<rt>guo</rt></ruby><ruby>蔚<rt>wèi</rt></ruby><ruby>蓝<rt>lán</rt></ruby><ruby>的<rt>de</rt></ruby><ruby>湖<rt>hú</rt></ruby><ruby>泊<rt>pō</rt></ruby>，<ruby>飞<rt>fēi</rt></ruby><ruby>到<rt>dào</rt></ruby><ruby>了<rt>le</rt></ruby><ruby>瑟<rt>sè</rt></ruby><ruby>兰<rt>lán</rt></ruby><ruby>城<rt>chéng</rt></ruby>。

22. xiǎo dù kè hé mèi mei zài nà li
小　杜　克　和　妹　妹　在　那　里
bàn le ge yǎng jī chǎng tā men zài
办　了　个　养　鸡　场　。他　们　再
bú huì shòu dòng ái è le
不　会　受　冻　挨　饿　了　!

23. xiǎo dù kè chéng le yòu fù yǒu yòu
小　杜　克　成　了　又　富　有　又
kuài lè de rén tā de fáng zi xiàng
快　乐　的　人　。他　的　房　子　像
wáng gōng de tǎ yí yàng gāo
王　宫　的　塔　一　样　高　。

24. xiǎo dù kè zào le piào liang de chuán
小　杜　克　造　了　漂　亮　的　船　,
duì hè luò ěr wáng shuō wǒ yào
对　赫　洛　尔　王　说　:　"我　要
qù lǚ xíng la
去　旅　行　啦　!　"

25. zhè shí xiǎo dù kè cóng mèng zhōng
这　时　,　小　杜　克　从　梦　中
jīng xǐng le ā tiān yǐ jīng liàng
惊　醒　了　。啊　,　天　已　经　亮
le
了　。

世界童话名著　安徒生童话　彩图注音版

26. xiǎo dù kè cóng chuáng shang tiào xia lai
小 杜 克 从 床 上 跳 下 来 ，
yuè dú dì lǐ kè běn tā hěn kuài
阅 读 地 理 课 本 ， 他 很 快
jiù dú dǒng le shū běn shang de nèi róng
就 读 懂 了 书 本 上 的 内 容 。

27. nà ge xǐ yī lǎo tài pó tuī mén
那 个 洗 衣 老 太 婆 推 门
zǒu jin lai shuō hǎo hái zi
走 进 来 说 ： " 好 孩 子 ，
yuàn shàng dì shǐ nǐ měi mèng chéng zhēn
愿 上 帝 使 你 美 梦 成 真 ！ "

28. xiǎo dù kè wán quán jì bù qǐ zì jǐ zuò guò yī cháng mèng bù guò
小 杜 克 完 全 记 不 起 自 己 做 过 一 场 梦 ， 不 过 ，
shàng dì shì zhī dào de
上 帝 是 知 道 的 。

mù zhū rén
牧 猪 人

世界童话名著 安徒生童话 彩图注音版

cóng qián yǒu wèi wáng zǐ xiǎng xiàng lín guó de gōng zhǔ qiú hūn dàn shì sòng
1. 从 前 有 位 王 子 想 向 邻 国 的 公 主 求 婚 ， 但 是 送

shén me gěi gōng zhǔ hǎo ne
什 么 给 公 主 好 呢 ？

wáng zǐ xiǎng qǐ fù qīn mù shang de
2. 王 子 想 起 父 亲 墓 上 的

méi gui tā wǔ nián cái kāi yí cì
玫 瑰 ， 它 五 年 才 开 一 次 ，

huā xiāng ràng rén wàng jì fán nǎo
花 香 让 人 忘 记 烦 恼 。

wáng zǐ bǎ méi gui hé tā xīn ài
3. 王 子 把 玫 瑰 和 他 心 爱

de yè yīng fàng zài liǎng zhī yín xiá zi
的 夜 莺 放 在 两 只 银 匣 子

li pài rén sòng gěi gōng zhǔ
里 ， 派 人 送 给 公 主 。

4. gōng zhǔ jiàn dào yín xiá zi gāo
公 主 见 到 银 匣 子, 高
xìng de shuō ā wǒ xī wàng
兴 地 说:"啊, 我 希 望
lǐ miàn shì yì zhī xiǎo māo
里 面 是 一 只 小 猫!"

5. gōng zhǔ kàn jian yín xiá zi li de
公 主 看 见 银 匣 子 里 的
méi gui shuō pēi zhè bú shì rén
玫 瑰 说:"呸, 这 不 是 人
gōng zuò de wǒ bù xǐ huan
工 做 的, 我 不 喜 欢!"

6. gōng nǚ men yě gēn zhe shuō pēi
宫 女 们 也 跟 着 说:"呸,
tiān rán de huā er méi rén gōng zuò de
天 然 的 花 儿 没 人 工 做 的
zhí qián
值 钱!"

7. gōng zhǔ dǎ kāi lìng yì zhī yín xiá
公 主 打 开 另 一 只 银 匣
zi yè yīng chàng zhe gē fēi chu lai
子, 夜 莺 唱 着 歌 飞 出 来,
gē shēng duō dòng tīng ya
歌 声 多 动 听 呀!

8. 公主皱着眉头说：“这不过是一只天然的鸟儿，快把它撵出去！”

9. 公主赶走了王子派来的人，又和宫女们玩起游戏来。

10. 王子涂黑自己的脸，换上破烂的衣服去见邻国的国王。

世界童话名著 安徒生童话 彩图注音版

11. wáng zǐ qǐng qiú zài wáng gōng li zhǎo
王子请求在王宫里找
fèn shì zuò guó wáng shuō nǐ
份事做。国王说："你
gěi wǒ kān zhū ba
给我看猪吧。"

12. wáng zǐ chéng le huáng jiā de mù zhū
王子成了皇家的牧猪
rén zhù zài zhū péng páng de xiǎo wū
人，住在猪棚旁的小屋
li cóng zǎo dào wǎn gàn huó er
里，从早到晚干活儿。

13. wáng zǐ zuò le yì zhī xiǎo guō
王子做了一只小锅，
biān shang guà le xǔ duō yín líng shuǐ
边上挂了许多银铃，水
yì kāi jiù huì zòu chu yuè qǔ
一开，就会奏出乐曲。

14. bǎ shǒu shēn dào guō de rè qì shang
把手伸到锅的热气上，
jiù néng wén dào chéng li měi ge zào shang
就能闻到城里每个灶上
shí wù de xiāng wèi
食物的香味。

15. 正好公主经过，听到
　　zhèng hǎo gōng zhǔ jīng guò tīng dào
优美的曲子，好奇地停
　　yōu měi de qǔ zi hào qí de tíng
下脚步。
　　xia jiǎo bù

16. 公主叫宫女问那口锅
　　gōng zhǔ jiào gōng nǚ wèn nà kǒu guō
值多少钱，王子说："要
　　zhí duō shǎo qián wáng zǐ shuō yào
公主给我十个吻！"
　　gōng zhǔ gěi wǒ shí ge wěn

17. 公主很不高兴。她刚
　　gōng zhǔ hěn bù gāo xìng tā gāng
想走开，美妙的曲子又
　　xiǎng zǒu kai měi miào de qǔ zi yòu
响起来了。
　　xiǎng qi lai le

世界童话名著 安徒生童话 彩图注音版

18. 公主只好让牧猪人吻了她十下，得到了那口锅。

19. 公主和宫女们整天不停地煮东西，闻全城各家煮的美味。

20. 没过几天，王子又做了个玩具，玩具一旋转，就能奏出各种舞曲来。

21. <ruby>公<rt>gōng</rt></ruby><ruby>主<rt>zhǔ</rt></ruby><ruby>再<rt>zài</rt></ruby><ruby>次<rt>cì</rt></ruby><ruby>经<rt>jīng</rt></ruby><ruby>过<rt>guò</rt></ruby>，<ruby>听<rt>tīng</rt></ruby><ruby>到<rt>dào</rt></ruby><ruby>了<rt>le</rt></ruby><ruby>美<rt>měi</rt></ruby><ruby>妙<rt>miào</rt></ruby><ruby>的<rt>de</rt></ruby><ruby>舞<rt>wǔ</rt></ruby><ruby>曲<rt>qǔ</rt></ruby>，<ruby>又<rt>yòu</rt></ruby><ruby>不<rt>bù</rt></ruby><ruby>由<rt>yóu</rt></ruby><ruby>自<rt>zì</rt></ruby><ruby>主<rt>zhǔ</rt></ruby><ruby>地<rt>de</rt></ruby><ruby>站<rt>zhàn</rt></ruby><ruby>住<rt>zhù</rt></ruby><ruby>了<rt>le</rt></ruby>。

22. <ruby>公<rt>gōng</rt></ruby><ruby>主<rt>zhǔ</rt></ruby><ruby>想<rt>xiǎng</rt></ruby><ruby>买<rt>mǎi</rt></ruby><ruby>下<rt>xia</rt></ruby><ruby>这<rt>zhè</rt></ruby><ruby>只<rt>zhī</rt></ruby><ruby>玩<rt>wán</rt></ruby><ruby>具<rt>jù</rt></ruby>，<ruby>王<rt>wáng</rt></ruby><ruby>子<rt>zǐ</rt></ruby><ruby>说<rt>shuō</rt></ruby>："<ruby>除<rt>chú</rt></ruby><ruby>非<rt>fēi</rt></ruby><ruby>你<rt>nǐ</rt></ruby><ruby>给<rt>gěi</rt></ruby><ruby>我<rt>wǒ</rt></ruby><ruby>一<rt>yì</rt></ruby><ruby>百<rt>bǎi</rt></ruby><ruby>个<rt>ge</rt></ruby><ruby>吻<rt>wěn</rt></ruby>！"

23. <ruby>公<rt>gōng</rt></ruby><ruby>主<rt>zhǔ</rt></ruby><ruby>只<rt>zhǐ</rt></ruby><ruby>好<rt>hǎo</rt></ruby><ruby>答<rt>dā</rt></ruby><ruby>应<rt>ying</rt></ruby><ruby>了<rt>le</rt></ruby>。<ruby>他<rt>tā</rt></ruby><ruby>们<rt>men</rt></ruby><ruby>一<rt>yí</rt></ruby><ruby>下<rt>xià</rt></ruby><ruby>连<rt>lián</rt></ruby><ruby>一<rt>yí</rt></ruby><ruby>下<rt>xià</rt></ruby><ruby>接<rt>jiē</rt></ruby><ruby>吻<rt>wěn</rt></ruby>，<ruby>宫<rt>gōng</rt></ruby><ruby>女<rt>nǚ</rt></ruby><ruby>们<rt>men</rt></ruby><ruby>围<rt>wéi</rt></ruby><ruby>在<rt>zài</rt></ruby><ruby>一<rt>yì</rt></ruby><ruby>旁<rt>páng</rt></ruby><ruby>计<rt>jì</rt></ruby><ruby>算<rt>suàn</rt></ruby><ruby>数<rt>shù</rt></ruby><ruby>目<rt>mù</rt></ruby>。

24. <ruby>国<rt>guó</rt></ruby><ruby>王<rt>wáng</rt></ruby><ruby>恰<rt>qià</rt></ruby><ruby>巧<rt>qiǎo</rt></ruby><ruby>路<rt>lù</rt></ruby><ruby>过<rt>guò</rt></ruby><ruby>这<rt>zhè</rt></ruby><ruby>里<rt>lǐ</rt></ruby>，<ruby>一<rt>yí</rt></ruby><ruby>见<rt>jiàn</rt></ruby><ruby>这<rt>zhè</rt></ruby><ruby>情<rt>qíng</rt></ruby><ruby>景<rt>jǐng</rt></ruby><ruby>气<rt>qì</rt></ruby><ruby>坏<rt>huài</rt></ruby><ruby>了<rt>le</rt></ruby>，<ruby>下<rt>xià</rt></ruby><ruby>令<rt>lìng</rt></ruby><ruby>把<rt>bǎ</rt></ruby><ruby>他<rt>tā</rt></ruby><ruby>们<rt>men</rt></ruby><ruby>赶<rt>gǎn</rt></ruby><ruby>进<rt>jìn</rt></ruby><ruby>森<rt>sēn</rt></ruby><ruby>林<rt>lín</rt></ruby><ruby>里<rt>li</rt></ruby>。

世界童话名著 安徒生童话
彩图注音版

25. 天正下着大雨，公主后悔地说："我当初真应该嫁给那个王子呀！"

26. 牧猪人躲在树后，把脸擦干净，脱掉破衣服，换上王子的服装。

27. 王子说："你不愿嫁诚实的王子，却为了玩具和牧猪人接吻，真卑贱！"

28. 公主恭敬地向王子行礼，请求他原谅。可王子说完就走开了。

xiǎo kè láo sī hé dà kè láo sī
小 克 劳 斯 和 大 克 劳 斯

xiǎo kè láo sī dài zhe tā de yì pǐ mǎ gěi dà kè láo sī lí dì
1. 小 克 劳 斯 带 着 他 的 一 匹 马 给 大 克 劳 斯 犁 地 ，
shuō wǒ de wǔ pǐ mǎ jiā yóu
说 ："我 的 五 匹 马 ，加 油 ！"

dà kè láo sī tīng dào le shuō
2. 大 克 劳 斯 听 到 了 ，说 ：
nà sì pǐ mǎ shì wǒ de
" 那 四 匹 马 是 我 的 ！"
dǎ sǐ le xiǎo kè láo sī de mǎ
打 死 了 小 克 劳 斯 的 马 。

xiǎo kè láo sī bǎ mǎ pí shài gān
3. 小 克 劳 斯 把 马 皮 晒 干
hòu bēi dào jí zhèn qù mài tiān hēi
后 背 到 集 镇 去 卖 。天 黑
shí tā mí le lù
时 ，他 迷 了 路 。

4. 他 来 到 一 个 农 妇 家 请
求 借 宿 。农 妇 骂 道 ： " 滚
远 些 ！我 丈 夫 不 在 家 ！ "

5. 小 克 劳 斯 爬 到 草 堆 上
睡 觉 。他 看 见 农 妇 和 一
个 牧 师 在 屋 里 喝 酒 。

6. 农 妇 的 丈 夫 回 来 了 。
农 妇 忙 把 牧 师 藏 进 木
箱 ，把 酒 菜 收 在 灶 里

7. 农 夫 看 见 了 小 克 劳 斯 ，
请 他 进 屋 住 宿 ， 招 呼 农
妇 端 东 西 来 吃 。

8. 农妇端出稀饭。小克
nóng fù duān chu xī fàn   xiǎo kè
劳斯踩了踩装马皮的袋
láo sī cǎi le cǎi zhuāng mǎ pí de dài
子，发出吱吱的声响。
zi   fā chu zhī zhī de shēng xiǎng

9. 农夫问袋里什么在叫。
nóng fū wèn dài li shén me zài jiào
小克劳斯说："魔袋说
xiǎo kè láo sī shuō   mó dài shuō
在灶里变出了酒菜！"
zài zào li biàn chu le jiǔ cài

10. 农夫打开灶门一看，
nóng fū dǎ kāi zào mén yí kàn
果然有酒有菜。他和小
guǒ rán yǒu jiǔ yǒu cài   tā hé xiǎo
克劳斯美美地吃喝起来。
kè láo sī měi měi de chī hē qi lai

11. 吃完后，农夫说："你
chī wán hòu   nóng fū shuō   nǐ
能变出魔鬼来吗？"小
néng biàn chu mó guǐ lái ma   xiǎo
克劳斯说："可以。"
kè láo sī shuō   kě yǐ

12. 小克劳斯踩了踩袋子，说："魔鬼长得像牧师，就在箱子里！"

13. 农夫一看，真有一个像牧师的魔鬼缩在箱子里面，赶紧关上箱子。

14. 农夫付了一斗钱买下魔袋，又请小克劳斯运走装魔鬼的箱子。

15. 小克劳斯走到河边，大声说："把箱子扔下河算啦！"牧师吓坏了。

16. 牧师喊："你把我放出来，我给你一斗钱！"小克劳斯同意了。

17. 小克劳斯这下有了两斗钱，高兴地回家了。

18. 大克劳斯非常眼红。
小克劳斯告诉他，这些
钱是用马皮换的。

dà kè láo sī fēi cháng yǎn hóng
xiǎo kè láo sī gào su tā zhè xiē
qián shì yòng mǎ pí huàn de

19. 大克劳斯急忙砍死他
的四匹马，剥下马皮晒
干后，背到集镇上卖。

dà kè láo sī jí máng kǎn sǐ tā
de sì pǐ mǎ bāo xia mǎ pí shài
gān hòu bèi dào jí zhèn shang mài

20. 他叫着："每张马皮拿
一斗钱！"几个皮匠就来打他。

tā jiào zhe měi zhāng mǎ pí ná
yì dǒu qián jǐ ge pí jiàng dǎ tā
qǐ gùn zi jiù lái

21. 大克劳斯逃出集镇。
他越想越害死。

dà kè láo sī táo chu jí zhèn
tā yuè xiǎng yuè xiǎng bǎ xiǎo kè
láo sī hài sǐ qì xiǎng

22. 他 把 小 克 劳 斯 塞 进 大
口 袋 ， 扛 起 袋 子 就 走 ，
想 去 淹 死 他 。

23. 走 着 走 着 ， 他 走 累 了 。
听 到 教 堂 的 钟 声 ， 他 放
下 袋 子 ， 走 进 教 堂 。

世界童话名著 安徒生童话
彩图注音版

24. 一 位 老 人 赶 着 牛 群 走 来 ， 小 克 劳 斯 请 他 放 了
自 己 ， 答 应 为 他 放 牛 。

111

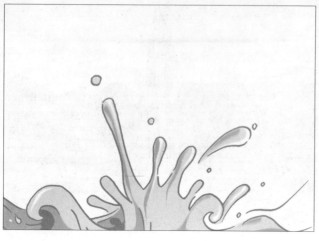

25. 小克劳斯把石块装进口袋放牛去了。大克劳斯出来，把口袋扔进河。

26. 小克劳斯赶着一群牛走来，对他说："河底的姑娘送给我这么多牛！"

27. 大克劳斯眼红了，说："求求你把我扔进河里吧！"说着钻进口袋。

28. 小克劳斯说："过一会我会救你的！"然后把口袋扔进河里。

xiǎo guǐ hé xiǎo shāng rén
小 鬼 和 小 商 人

xiǎo shāng rén fū qī liǎ zhù zài yí zhuàng lóu fáng li dǐ lóu kāi diàn
1. 小商人夫妻俩住在一幢楼房里，底楼开店，
gé lóu zū gěi le yí ge qióng xué sheng
阁楼租给了一个穷学生。

yǒu ge xiǎo guǐ yě zhù zài diàn li
2. 有个小鬼也住在店里。
xiǎo shāng rén fū qī liǎ hěn tóng qíng xiǎo
小商人夫妻俩很同情小
guǐ měi tiān gěi tā zhōu chī
鬼，每天给他粥吃。

yì tiān qióng xué sheng lái mǎi là
3. 一天，穷学生来买蜡
zhú hé nǎi lào xiǎo shāng rén suí shǒu
烛和奶酪。小商人随手
sī xia yí yè zhǐ bāo dōng xi
撕下一页纸包东西。

世界童话名著 安徒生童话 彩图注音版

113

4. qióng xué sheng jiē guo zhǐ bāo, dīng
穷 学 生 接 过 纸 包 ， 盯
zhe zhǐ shang de zì kàn le yòu kàn
着 纸 上 的 字 看 了 又 看 。
xiǎo shāng rén jué de tā shí fēn kě xiào
小 商 人 觉 得 他 十 分 可 笑 。

5. xiǎo shāng rén huī le huī nà běn shū,
小 商 人 挥 了 挥 那 本 书 ，
shuō: "nǐ chū sān ge tóng qián,
说 ： "你 出 三 个 铜 钱 ，
zhè běn shū de zhǐ quán gěi nǐ!"
这 本 书 的 纸 全 给 你 ！ "

6. qióng xué sheng tuì le nǎi lào, huàn qu nà běn shū。 zhè shì yì běn duō
穷 学 生 退 了 奶 酪 ， 换 去 那 本 书 。 这 是 一 本 多
me hǎo de shī jí a
么 好 的 诗 集 啊 ！

7. xiǎo shāng rén jué de qí guài 。 qióng
小 商 人 觉 得 奇 怪 。 穷
xué sheng shuō : " nǐ duì shī bú huì
学 生 说 : " 你 对 诗 不 会
bǐ mù pén liǎo jiě de gèng duō ！ "
比 木 盆 了 解 得 更 多 ！ "

8. qióng xué sheng zǒu hòu , xiǎo guǐ shēng
穷 学 生 走 后 ， 小 鬼 生
qì le 。 tā zěn néng zhè yàng fěng cì
气 了 。 他 怎 能 这 样 讽 刺
zhè wèi hǎo xīn de xiǎo shāng rén
这 位 好 心 的 小 商 人 。

9. yè li , xiǎo shāng rén fū qī shuì
夜 里 ， 小 商 人 夫 妻 睡
zháo le , xiǎo guǐ qiāo qiāo de zǒu jìn
着 了 ， 小 鬼 悄 悄 地 走 进
tā men de fáng jiān 。
他 们 的 房 间 。

10. xiǎo shāng rén tài tai shuì jiào shí zǒng
小 商 人 太 太 睡 觉 时 总
bǎ shé tou ná xia lai fàng zài chuáng
把 舌 头 拿 下 来 放 在 床
tóu 。 xiǎo guǐ bǎ tā ná zǒu le 。
头 。 小 鬼 把 它 拿 走 了 。

11. 　xiǎo guǐ bǎ shé tou fàng jìn mù pén
　　小 鬼 把 舌 头 放 进 木 盆
li。 mù pén yǒu le shé tou jiù
里。 木 盆 有 了 舌 头， 就
jiǎng qǐ huà lai
讲 起 话 来。

12. 　xiǎo guǐ wèn mù pén shén me shì shī
　　小 鬼 问 木 盆 什 么 是 诗。
mù pén shuō shī shì yìn zài zhǐ
木 盆 说：" 诗 是 印 在 纸
shang de yóu zì zǔ chéng de
上 的， 由 字 组 成 的 ……"

13. 　xiǎo guǐ bǎ shé tou fàng zài huáng yóu
　　小 鬼 把 舌 头 放 在 黄 油
tǒng li kā fēi mò shang qián xiá
桶 里、 咖 啡 磨 上、 钱 匣
zi li tā men dōu zhè yàng huí dá
子 里 …… 它 们 都 这 样 回 答。

14. 　xiǎo guǐ míng bai le shī shí zài
　　小 鬼 明 白 了， 诗 实 在
méi yǒu shén me liǎo bu qǐ tā jué
没 有 什 么 了 不 起， 他 决
dìng qù gào su qióng xué sheng
定 去 告 诉 穷 学 生。

15. xiǎo guǐ lái dào qióng xué sheng mén
小鬼来到穷学生门
kǒu cóng suǒ kǒng cháo lǐ wàng kàn
口，从锁孔朝里望，看
jian qióng xué shengzhèng zài dú shū
见穷学生正在读书。

16. hū rán xiǎo guǐ fā xiàn qióng xué
忽然，小鬼发现穷学
sheng shǒu li de jiù shī jí mào chu guāng
生手里的旧诗集冒出光
máng zhào liàng le zhěng ge fáng jiān
芒，照亮了整个房间。

17. ā shī jí li mào chu de guāng liàng biàn chéng le yì kē shù zhī yè
啊，诗集里冒出的光亮变成了一棵树，枝叶
mào shèng xiān huā mǎn zhī
茂盛，鲜花满枝！

18. měi duǒ xiān huā dōu biàn chéng le měi
每 朵 鲜 花 都 变 成 了 美
nǚ de tóu xiàng   měi zhī guǒ shí dōu
女 的 头 像 ， 每 只 果 实 都
shǎn yào zhe míng liàng de xīng xing
闪 耀 着 明 亮 的 星 星 ！

19. wū zi li chōng mǎn le qí miào de
屋 子 里 充 满 了 奇 妙 的
yīn yuè   xiǎo guǐ táo zuì le
音 乐 。 小 鬼 陶 醉 了 。

20. guò le hěn jiǔ   qióng xué sheng shōu
过 了 很 久 ， 穷 学 生 收
qi shī jí   chuī xī là zhú shàng
起 诗 集 ， 吹 熄 蜡 烛 ， 上
chuáng shuì jiào le   xiǎo guǐ réng zài fā
床 睡 觉 了 。 小 鬼 仍 在 发
lèng
愣 。

21. xiǎo guǐ xiǎng   yào shi gēn qióng xué
小 鬼 想 ， 要 是 跟 穷 学
sheng zhù zài yì qǐ gāi duō hǎo ya
生 住 在 一 起 该 多 好 呀 ，
kě shì méi yǒu zhōu chī
可 是 没 有 粥 吃 。

118

22. 小鬼依依不舍地走下
楼，整整一夜都在想着
那美妙的音乐和景象。

23. 从此，每当穷学生看
诗集的时候，小鬼都站
在他的门外看着。

24. 一天夜里，忽然失火了。小商人夫妻收拾了
财物，匆匆逃走。

安徒生童话

小鬼和小商人

25. 小鬼奔到楼上，冲进
房间，只见那位穷学生
站在窗前，非常镇静。

26. 那本神奇的诗集放在
桌上。小鬼把诗集塞进
帽子里，跑了出去。

27. 小鬼跑到屋顶，紧紧
抱着那本诗集。他决定
从此跟穷学生住在一起。

28. 大火灭了，小鬼肚子
饿了。他不能没有粥吃
啊，只好去找小商人。

fēi xiāng
飞 箱

fù shāng jiā li yǒu ge hái zi   míng jiào jí mǔ cóng xiǎo jiāo shēng guàn yǎng
1. 富 商 家 里 有 个 孩 子 ， 名 叫 吉 姆 ， 从 小 娇 生 惯 养 。

世界童话名著 **安徒生童话** 彩图注音版

fù wēng sǐ le   jí mǔ jì chéng
2. 富 翁 死 了 ， 吉 姆 继 承
le jiā chǎn   tā dà bǎ dà bǎ huā
了 家 产 。 他 大 把 大 把 花
qián   bǎ jiā chǎn huā guāng le
钱 ， 把 家 产 花 光 了 。

jí mǔ chéng le qióng guāng dàn   dào
3. 吉 姆 成 了 穷 光 蛋 ， 到
chù liú làng   yì tiān   yí wèi hǎo
处 流 浪 。 一 天 ， 一 位 好
xīn de lǎo mù jiang shōu liú le tā
心 的 老 木 匠 收 留 了 他 。

4. 老木匠手艺高超，他
把手艺教给吉姆。几年
后吉姆成了有名的木匠。

5. 吉姆制作了一只神奇
的箱子，按一下箱上的
锁，箱子就能飞上天。

6. 这天，吉姆坐进箱子
里，飞上了高空。他要
到世界各地去闯天下。

7. 箱子飞呀，飞呀，飞到
了一个美丽的国家。吉
姆让箱子降落下来。

8.
rén men gào su jí mǔ   zhè ge guó jiā de gōng zhǔ fēi cháng měi lì
人 们 告 诉 吉 姆 , 这 个 国 家 的 公 主 非 常 美 丽 ,
tā xǐ huan tīng gù shi
她 喜 欢 听 故 事 。

9.
wǎn shang   jí mǔ zuò jìn fēi xiāng
晚 上 , 吉 姆 坐 进 飞 箱 ,
fēi dào wáng gōng li gōng zhǔ de fáng jiān
飞 到 王 宫 里 公 主 的 房 间 。
gōng zhǔ zhèng zuò zài nà er ne
公 主 正 坐 在 那 儿 呢 !

10.
gōng zhǔ kàn jian jí mǔ fēi jìn lai
公 主 看 见 吉 姆 飞 进 来 ,
hěn gāo xìng   jiào jí mǔ zuò zài tā
很 高 兴 , 叫 吉 姆 坐 在 她
shēn biān   gěi tā jiǎng gù shi
身 边 , 给 她 讲 故 事 。

世界童话名著 安徒生童话 彩图注音版

11. 吉姆讲了一个又一个故事，公主入了迷，要他天天晚上来讲故事。

12. 吉姆天天晚上来陪伴公主，公主爱上了他，同意嫁给他。

13. 吉姆问公主，怎样才能使国王和王后喜欢他。

14. 国王和王后也喜欢听故事，公主要吉姆讲故事给他们听。

飞箱

15. 吉姆听说森林里有位老人会讲故事，就坐上
飞箱去找这位老人。

16. 森林里老人给吉姆讲了这些
很多故事，吉姆把这
故事牢牢记在心里。

17. 吉姆回到王宫，给国
王和王后讲故事，他们
王听得入了迷。

世界童话名著 安徒生童话 彩图注音版

18. guó wáng hé wáng hòu jiàn jiàn xǐ huan
国王 和 王后 渐渐 喜欢
shang le jí mǔ tóng yì ràng gōng zhǔ
上 了 吉姆，同意 让 公主
jià gěi tā
嫁 给 他。

19. guó wáng xiàng quán guó xuān bù wèi
国王 向 全国 宣布，为
gōng zhǔ hé jí mǔ jǔ xíng shèng dà de
公主 和 吉姆 举行 盛大 的
hūn lǐ
婚礼。

20. hūn lǐ kāi shǐ le zhěng zuò chéng
婚礼 开始 了，整座 城
shì xiàng guò jié yí yàng dà jiē xiǎo
市 像 过节 一样，大街 小
xiàng jǐ mǎn huān lè de rén qún
巷 挤满 欢乐 的 人群。

21. guó wáng mìng lìng shì bīng bǎ táng
国王 命令 士兵 把 糖
guǒ gāo diǎn shuǐ guǒ zhuāng mǎn chē
果、糕点、水果 装满 车
zi lā dào dà jiē shang sàn gěi rén men
子，拉 到 大街 上 散给 人们。

22. 吉姆把飞箱搬了出来，请公主和他坐进去。

23. 吉姆和公主飞起来啦！他们燃起了五颜六色的焰火，热闹极了！

24. 国王和王后挥手欢呼。全城的老百姓仰起头，又激动又惊奇。

世界童话名著 安徒生童话 彩图注音版

25. fēi xiāng fēi le yì quān yòu yì quān
飞箱飞了一圈又一圈，
zhōng yú luò huí wáng gōng   guó wáng
终于落回王宫。国王、
wáng hòu hé dà chén men wéi guo lai
王后和大臣们围过来。

26. guó wáng mō zhe fēi xiāng   gāo xìng
国王摸着飞箱，高兴
de shuō   zhè zhēn shì shén qí de
地说："这真是神奇的
bǎo bèi a
宝贝啊！"

27. guó wáng mìng lìng shì bīng men bǎ fēi
国王命令士兵们把飞
xiāng cáng jìn dì xià shì   zài mén shang
箱藏进地下室，在门上
jiā le bā dào suǒ   rì yè shǒu hù
加了八道锁，日夜守护。

28. hòu lái   jí mǔ hé gōng zhǔ qù
后来，吉姆和公主去
kàn fēi xiāng   ài   xiāng shang de suǒ
看飞箱，唉，箱上的锁
dōu xiù le   zài yě bù néng fēi le
都锈了，再也不能飞了。

chǒu xiǎo yā
丑 小 鸭

1. yā mā ma fū le yì qún xiǎo yā , zuì hòu yì zhī dàn liè kai , zuān chu
鸭 妈 妈 孵 了 一 群 小 鸭 ， 最 后 一 只 蛋 裂 开 ， 钻 出
yì zhī yòu chǒu yòu xiǎo de yā zi 。
一 只 又 丑 又 小 的 鸭 子 。

2. yā mā ma duàn dìng tā shì zì jǐ
鸭 妈 妈 断 定 他 是 自 己
de hái zi , ràng tā hé qí tā yì
的 孩 子 ， 让 他 和 其 他 一
xiǎo yā shēng huó zài qǐ
小 鸭 生 活 在 起 。

3. chǒu xiǎo yā zǒng shì gēn zài qí tā yì
丑 小 鸭 总 是 跟 在 其 他 一
xiǎo yā hòu mian 。 yǒu yí cì ，
小 鸭 后 面 。 有 一 次 ，
zhī yā zi yào zhuó chǒu xiǎo yā 。
只 鸭 子 要 啄 丑 小 鸭 。

世界童话名著 安徒生童话
彩图注音版

129

4. 鸭妈妈护着丑小鸭说:"别欺负他!他虽然长得丑,但不会伤害别人!"

5. 母鸡看见了丑小鸭,说鸭妈妈生了个丑八怪!丑小鸭很难过!

6. 其他的鸭子看见了丑小鸭,也来讥笑他。

7. 丑小鸭离开了大家。晚上他来到了沼泽地,这儿有许多野鸭在睡觉。

9. bù jiǔ, liǎng zhī dà yàn fēi huí
　　不 久 ， 两 只 大 雁 飞 回
zhǎo zé dì dì, dā ying dài chǒu xiǎo yā
沼 泽 地 ， 答 应 带 丑 小 鸭
dào yí ge měi lì de dì fang qù
到 一 个 美 丽 的 地 方 去 。

世界童话名著 安徒生童话 彩图注音版

8. tiān liàng hòu yě yā men fā xiàn le
　　天 亮 后 野 鸭 们 发 现 了
tā duō kě lián de chǒu xiǎo yā a
他 ， 多 可 怜 的 丑 小 鸭 啊 ，
dà jiā dā ying ràng tā liú xia lai
大 家 答 应 让 他 留 下 来 。

10. kě shì liè rén fā xiàn le liǎng zhī
　　可 是 猎 人 发 现 了 两 只
dà yàn yì zhī dà yàn bèi dǎ zhòng
大 雁 。 一 只 大 雁 被 打 中
le chǒu xiǎo yā kě xià huài le
了 ， 丑 小 鸭 可 吓 坏 了 。

11.
liè gǒu chōng le guò lái　　tā xián
猎　狗　冲　了　过　来　。他　衔
qǐ nà zhī dà yàn　　qiáo le chǒu xiǎo
起　那　只　大　雁　，瞧　了　丑　小
yā yì yǎn　　jiù pǎo huí qu le
鸭　一　眼　，就　跑　回　去　了　。

12.
chǒu xiǎo yā shuō　　　　wǒ zhēn chǒu
丑　小　鸭　说："　我　真　丑　，
lián liè gǒu dōu bú yuàn yǎo wǒ
连　猎　狗　都　不　愿　咬　我　！"
zhè shí hū rán xià qǐ le dà yǔ
这　时　忽　然　下　起　了　大　雨　。

13.
chǒu xiǎo yā pǎo dào yì jiān xiǎo wū
丑　小　鸭　跑　到　一　间　小　屋
qián　　lǎo pó po kàn jian le tā
前　。老　婆　婆　看　见　了　他　，
ràng tā jìn wū duǒ yǔ
让　他　进　屋　躲　雨　。

14.
lǎo pó po yǎng le yì zhī mǔ jī
老　婆　婆　养　了　一　只　母　鸡
hé yì zhī gōng māo　　tā xī wàng chǒu
和　一　只　公　猫　，她　希　望　丑
xiǎo yā néng wèi tā shēng yā dàn
小　鸭　能　为　她　生　鸭　蛋　。

15. 丑小鸭没有生出鸭蛋来。母鸡和公猫瞧不起丑小鸭，骂他是废物。

16. 丑小鸭多么孤独啊，只得悄悄离开老婆婆家。

17. 秋天来临了。丑小鸭孤零零的躲在芦苇里，看见一群天鹅飞过来。

18. 丑小鸭想，我要有他们这么美丽该多好啊！

丑小鸭

世界童话名著 安徒生童话

彩图注音版

133

19. dōng tiān dào le chǒu xiǎo yā lěng
冬 天 到 了 ， 丑 小 鸭 和 冷
de sè sè fā dǒu le yì hòu lái qǐ bīng
得 瑟 瑟 发 抖 了 一 后 来 起 冰
kuài dòng zài le
块 冻 在 了 。

20. yí wèi nóng fū jiù qi chǒu xiǎo
一 位 农 夫 救 起 丑 小
yā bǎ tā dài huí jiā nóng fū
鸭 ， 把 他 带 回 家 。 农 夫
de hái zi men zhuō nòng chǒu xiǎo yā
的 孩 子 们 捉 弄 丑 小 鸭 。

21. chǒu xiǎo yā xià de táo chu nóng fū
丑 小 鸭 吓 得 逃 出 农 夫
jiā táo dào sēn lín zài máng máng
家 ， 逃 到 森 林 ， 在 茫 茫
xuě dì li duǒ le yí ge dōng tiān
雪 地 里 躲 了 一 个 冬 天 。

22. chūn tiān lái lín , dà dì wēn nuǎn le , chǒu xiǎo yā zǒu chu sēn lín ,
春天来临，大地温暖了，丑小鸭走出森林，
huí dào zhǎo zé dì lú wěi cóng zhōng
回到沼泽地芦苇丛中。

23. zhè shí , chǒu xiǎo yā jué de zì
这时，丑小鸭觉得自
jǐ zhǎng dà le , tā zhǎn chì yì fēi ,
己长大了，他展翅一飞，
jìng fēi shang le tiān kōng 。
竟飞上了天空。

24. tā fēi ya fēi ya , fēi dào yí
他飞呀飞呀，飞到一
zuò dà huā yuán li 。 zhè er xiān huā
座大花园里。这儿鲜花
shèng kāi , bì bō dàng yàng 。
盛开，碧波荡漾。

25. chǒu xiǎo yā kàn jian yì qún tiān é
丑 小 鸭 看 见 一 群 天 鹅
zài shuǐ shang yóu wán　tā xiǎng yóu guo
在 水 上 游 玩 ， 他 想 游 过
qu　yòu dān xīn zì jǐ tài chǒu
去 ， 又 担 心 自 己 太 丑 。

26. chǒu xiǎo yā dī tóu kàn jian le zì
丑 小 鸭 低 头 看 见 了 自
jǐ de dào yǐng　a　yì zhī tiān
己 的 倒 影 ， 啊 ， 一 只 天
é yuán lái tā bú shì chǒu xiǎo yā le
鹅 ！ 原 来 他 不 是 丑 小 鸭 了 。

27. àn biān de hái zi men pāi zhe shǒu
岸 边 的 孩 子 们 拍 着 手
huān hū　　xīn lái de tiān é duō
欢 呼 ： " 新 来 的 天 鹅 多
nián qīng duō piào liang ya
年 轻 多 漂 亮 呀 ！ "

28. tā gǎn dào zì jǐ xìng fú jí le
他 感 到 自 己 幸 福 极 了 ，
kě tā yǒng yuǎn jì de zì jǐ céng jīng
可 他 永 远 记 得 自 己 曾 经
shì chǒu xiǎo yā
是 丑 小 鸭 。

mài huǒ chái de xiǎo nǚ hái
卖火柴的小女孩

1. chú xī lái lín le, xiǎo chéng li xuě huā piāo piāo, hán fēng sōu sōu,
   除夕来临了，小城里雪花飘飘，寒风嗖嗖，
   dào chù bái máng máng yí piàn
   到处白茫茫一片。

2. qīng chén, yí wèi xiǎo nǚ hái zǒu
   清晨，一位小女孩走
   chu pò jiù de xiǎo mù wū wàng zhe
   出破旧的小木屋，望着
   màn tiān fēng xuě, yóu yù le hěn jiǔ
   漫天风雪，犹豫了很久。

3. xiǎo nǚ hái zǎo shī qù mā ma,
   小女孩早失去妈妈，
   téng ài tā de zǔ mǔ yě qù shì
   疼爱她的祖母也去世
   le, jiā li zhǐ yǒu bìng zhòng de bà ba
   了，家里只有病重的爸爸。

4. tā jué dìng bǎ shèng xià de huǒ chái
她 决 定 把 剩 下 的 火 柴
ná chu qu mài 。 tā chuānshang mù tuō
拿 出 去 卖 。 她 穿 上 木 拖
xié ， yíng zhe hán fēng zǒu chu mén 。
鞋 ， 迎 着 寒 风 走 出 门 。

5. tā tà zhe jī xuě zǒu zài dà jiē
她 踏 着 积 雪 走 在 大 街
shang 。 rén men dōu zài jiā li máng zhe
上 。 人 们 都 在 家 里 忙 着
yíng jiē xīn nián ne ！
迎 接 新 年 呢 ！

6. xiǎo nǚ hái biān zǒu biān hǎn ： " mài
小 女 孩 边 走 边 喊 ： " 卖
huǒ chái ， shuí mǎi huǒ chái …… " jiào
火 柴 ， 谁 买 火 柴 …… " 叫
shēng zài hán fēng zhōng zhàn lì 。
声 在 寒 风 中 颤 栗 。

7. tā zǒu a ， jiào a ， zǒu guo dà
她 走 啊 ， 叫 啊 ， 走 过 大
jiē xiǎo xiàng ， kě shì zhí dào zhōng wǔ
街 小 巷 ， 可 是 直 到 中 午
yě méi mài diào yì gēn huǒ chái 。
也 没 卖 掉 一 根 火 柴 。

8. 她走近一座楼房，向窗户里看去，温暖的屋
子里放着美丽的圣诞树。

9. 小女孩问："要买火
柴吗？"女主人摆了摆
手，小女孩失望地离开了。

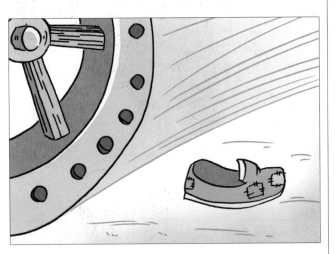

10. 忽然一辆马车冲过
来，小女孩连忙闪到旁
边，木拖鞋跑丢了。

世界童话名著 安徒生童话 彩图注音版

12. 天 渐 渐 黑 了 ， 仍 旧 没 钱
有 人 买 她 的 火 柴 。 除 夕
的 人 家 开 始 过 除 夕 了 。

11. 小 女 孩 只 好 赤 脚 走 在
积 雪 里 。 每 走 一 步 ，
像 刀 扎 一 样 ， 真 疼 啊 ！

13. 小 女 孩 在 一 个 墙 角 坐
下 来 ， 双 脚 又 红 又 肿 ，
坐 下 去 就 不 能 站 起 来 。

14. 她把冻僵的小手放在嘴边呵着，要有一堆火暖暖身子多好啊！

15. 小女孩不由拿起一根火柴，嚓的一声，火柴燃起了火苗。

世界童话名著 安徒生童话
彩图注音版

16. 她凝视着这点火苗，多么温暖啊，她一下子觉得坐在火炉前。

17. 红红的炉火越烧越旺，小女孩伸出双脚，想在火炉前暖和一下。

18. hū rán， huǒ lú xiāo shī le。
忽 然， 火 炉 消 失 了 。
yuán lái huǒ chái xī miè le， tā yòu
原 来 火 柴 熄 灭 了 ， 她 又
xiàn jìn le hán lěng zhī zhōng。
陷 进 了 寒 冷 之 中 。

19. xiǎo nǚ hái yòu diǎn rán yì gēn huǒ
小 女 孩 又 点 燃 一 根 火
chái， yǎn qián chū xiàn xǔ duō shí pǐn：
柴， 眼 前 出 现 许 多 食 品：
dàn gāo、 xiàn bǐng、 shuǐ guǒ……
蛋 糕、 馅 饼、 水 果……

20. yì zhī kǎo é tiào xia pán zi xiàng
一 只 烤 鹅 跳 下 盘 子 向
xiǎo nǚ hái zǒu lai， xiǎo nǚ hái gāo
小 女 孩 走 来， 小 女 孩 高
xìng de shēn chū shǒu qu。
兴 地 伸 出 手 去 。

21. hū rán kǎo é hé yǎn qián de guāng
忽 然 烤 鹅 和 眼 前 的 光
míng xiāo shī le。 huǒ chái yòu xī miè
明 消 失 了 。 火 柴 又 熄 灭
le。
了 。

22. 小女孩又冷又饿，她又点燃了一根火柴。
xiǎo nǚ hái yòu lěng yòu è，tā yòu diǎn rán le yì gēn huǒ chái

23. 小女孩看见一棵又高又大又美丽的圣诞树，树上挂满了礼物。
xiǎo nǚ hái kàn jian yì kē yòu gāo dà yòu měi lì de shèng dàn shù，shù shang guà mǎn le lǐ wù

24. 小女孩笑起来。圣诞树上烛光像满天星星，一颗大星星落下来。
xiǎo nǚ hái xiào qi lai。shèng dàn shù shang zhú guāng xiàng mǎn tiān xīng xing，yì kē dà xīng xing luò xia lai

25. xiǎo nǚ hái yòu diǎn rán yì gēn huǒ
小 女 孩 又 点 燃 一 根 火
chái kàn jian zǔ mǔ chū xiàn le
柴 ， 看 见 祖 母 出 现 了 ，
tā hǎn nǎi nai dài wǒ zǒu
她 喊 ："奶 奶 带 我 走 ！"

26. xiǎo nǚ hái bǎ huǒ chái yì qǐ diǎn
小 女 孩 把 火 柴 一 起 点
rán ā zǔ mǔ zhēn de zài tā
燃 ， 啊 ， 祖 母 真 的 在 她
miàn qián tā xiàng zǔ mǔ pū qu
面 前 ！她 向 祖 母 扑 去 。

27. xiǎo nǚ hái gēn zhe zǔ mǔ fēi shang
小 女 孩 跟 着 祖 母 飞 上
yè kōng xiàng méi yǒu hán lěng méi
夜 空 ， 向 没 有 寒 冷 、 没
yǒu jī è de dì fang fēi qu
有 饥 饿 的 地 方 飞 去 ！

28. xīn nián de zǎo chen rén men fā
新 年 的 早 晨 ， 人 们 发
xiàn xiǎo nǚ hái sǐ zài qiáng jiǎo shǒu
现 小 女 孩 死 在 墙 角 ， 手
li wò zhe xī miè le de huǒ chái
里 握 着 熄 灭 了 的 火 柴 。

1. 小约翰的父母去世了，他带着仅有的 50 块钱和几个银币出去流浪。

2. 路上，小约翰看见一个老乞丐，把那几个银币送给了他，继续赶路。

3. 晚上他在小教堂睡觉。半夜有两个人打开棺材，要报复那个死人。

4. 小约翰把50块钱送给他
们，请求他们饶恕死者。
那两人接过钱走了。

5. 天亮后小约翰继续赶
路。忽然后面有人喊：
"朋友，咱们一道走好吗？"

6. 那人自称是旅伴，什
么事都知道。于是小约
翰和他一同周游世界。

7. 他们看见一位老妇人
走来。她兜着三根枝条，
忽然跌了一跤。

8. 旅伴拿出药治好了老妇人的腿。她把三根枝条送给他，就走了。

9. 他们住到小镇。大厅正演木偶戏，木偶国王和王后演得真棒。

10. 忽然，一只狗蹿上舞台了。把木偶戏演不下去的王后的头咬掉了。

世界童话名著 安徒生童话 彩图注音版

11. 旅伴给木偶王后接上头。木偶王后从此不用牵线就能跳舞！

12. 夜里，所有木偶都请旅伴把它们变活。旅伴要王后把剑送给他。

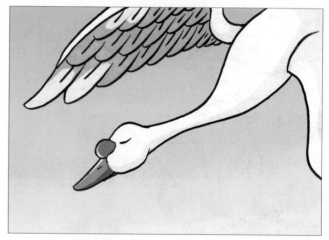

13. 王后答应了。旅伴给它们涂上药，木偶们立刻变成了活的。

14. 小约翰和旅伴继续赶路。忽然一只天鹅从天上掉下来，摔死了。

15. 旅伴举剑砍下天鹅的翅膀，带在身边，同小
约翰走下山去。

16. 他们来到一个国家，
听说公主中了魔法，许
多求婚的王子都丢了命。

17. 小约翰被公主迷住
了，他去求婚。国王劝
他回去，不要来送命。

18. 公主叫他明天来答题，
答不出就杀头。小约翰
回到旅店告诉旅伴。
gōng zhǔ jiào tā míng tiān lái dá tí
dá bu chū jiù shā tóu。xiǎo yuē hàn
huí dào lǚ diàn gào su lǚ bàn。

19. 半夜，旅伴插上天鹅
翅膀，拿着枝条飞上天，
看见公主飞向深山。
bàn yè，lǚ bàn chā shang tiān é
chì bǎng ná zhe zhī tiáo fēi shang tiān，
kàn jian gōng zhǔ fēi xiàng shēn shān。

20. 旅伴飞过去用枝条抽
打公主。公主看不见他，
以为冰雹打在身上。
lǚ bàn fēi guo qu yòng zhī tiáo chōu
dǎ gōng zhǔ。gōng zhǔ kàn bu jiàn tā，
yǐ wéi bīng báo dǎ zài shēn shang。

21. 公主飞进魔宫，向魔
王讨教。魔王叫她让求
婚者猜鞋子。
gōng zhǔ fēi jìn mó gōng，xiàng mó
wáng tǎo jiào。mó wáng jiào tā ràng qiú
hūn zhě cāi xié zi。

22. 旅伴听到了，飞回旅店，告诉小约翰怎么回答公主的提问。

23. 小约翰走进王宫。公主问：“我在想什么？”小约翰回答：“鞋子！”

24. 公主叫他明天再来。晚上公主飞到魔宫，旅伴偷听到猜手套。

25. 旅伴告诉了小约翰。第二天小约翰又猜中了，国王和大臣欢呼起来。

世界童话名著 安徒生童话 彩图注音版

26. <ruby>公<rt>gōng</rt></ruby><ruby>主<rt>zhǔ</rt></ruby><ruby>夜<rt>yè</rt></ruby><ruby>里<rt>li</rt></ruby><ruby>又<rt>yòu</rt></ruby><ruby>去<rt>qù</rt></ruby><ruby>找<rt>zhǎo</rt></ruby><ruby>魔<rt>mó</rt></ruby><ruby>王<rt>wáng</rt></ruby>。<ruby>魔<rt>mó</rt></ruby><ruby>王<rt>wáng</rt></ruby><ruby>叫<rt>jiào</rt></ruby><ruby>她<rt>tā</rt></ruby><ruby>猜<rt>cāi</rt></ruby><ruby>魔<rt>mó</rt></ruby><ruby>王<rt>wáng</rt></ruby><ruby>的<rt>de</rt></ruby><ruby>头<rt>tóu</rt></ruby>。<ruby>旅<rt>lǚ</rt></ruby><ruby>伴<rt>bàn</rt></ruby><ruby>偷<rt>tōu</rt></ruby><ruby>听<rt>tīng</rt></ruby><ruby>到<rt>dào</rt></ruby><ruby>了<rt>le</rt></ruby>。

27. <ruby>公<rt>gōng</rt></ruby><ruby>主<rt>zhǔ</rt></ruby><ruby>走<rt>zǒu</rt></ruby><ruby>后<rt>hòu</rt></ruby>，<ruby>旅<rt>lǚ</rt></ruby><ruby>伴<rt>bàn</rt></ruby><ruby>一<rt>yí</rt></ruby><ruby>剑<rt>jiàn</rt></ruby><ruby>砍<rt>kǎn</rt></ruby><ruby>下<rt>xia</rt></ruby><ruby>魔<rt>mó</rt></ruby><ruby>王<rt>wáng</rt></ruby><ruby>的<rt>de</rt></ruby><ruby>脑<rt>nǎo</rt></ruby><ruby>袋<rt>dai</rt></ruby>，<ruby>放<rt>fàng</rt></ruby><ruby>在<rt>zài</rt></ruby><ruby>布<rt>bù</rt></ruby><ruby>包<rt>bāo</rt></ruby><ruby>里<rt>li</rt></ruby>，<ruby>飞<rt>fēi</rt></ruby><ruby>回<rt>huí</rt></ruby><ruby>旅<rt>lǚ</rt></ruby><ruby>店<rt>diàn</rt></ruby>。

28. <ruby>旅<rt>lǚ</rt></ruby><ruby>伴<rt>bàn</rt></ruby><ruby>把<rt>bǎ</rt></ruby><ruby>布<rt>bù</rt></ruby><ruby>包<rt>bāo</rt></ruby><ruby>交<rt>jiāo</rt></ruby><ruby>给<rt>gěi</rt></ruby><ruby>小<rt>xiǎo</rt></ruby><ruby>约<rt>yuē</rt></ruby><ruby>翰<rt>hàn</rt></ruby>，<ruby>天<rt>tiān</rt></ruby><ruby>亮<rt>liàng</rt></ruby><ruby>后<rt>hòu</rt></ruby>，<ruby>小<rt>xiǎo</rt></ruby><ruby>约<rt>yuē</rt></ruby><ruby>翰<rt>hàn</rt></ruby><ruby>带<rt>dài</rt></ruby><ruby>着<rt>zhe</rt></ruby><ruby>布<rt>bù</rt></ruby><ruby>包<rt>bāo</rt></ruby><ruby>进<rt>jìn</rt></ruby><ruby>宫<rt>gōng</rt></ruby><ruby>了<rt>le</rt></ruby>。

29. gōng zhǔ wèn： wǒ zài xiǎng shén
公 主 问 ："我 在 想 什
me？ xiǎo yuē hàn dǎ kāi bù bāo
么 ？ " 小 约 翰 打 开 布 包 ，
mó wáng de tóu lòu chu lai
魔 王 的 头 露 出 来 。

30. gōng zhǔ jiàn mó wáng sǐ le， zhǐ
公 主 见 魔 王 死 了 ， 只
hǎo tóng yì hé xiǎo yuē hàn jié hūn
好 同 意 和 小 约 翰 结 婚 。

31. lǚ bàn jiào xiǎo yuē hàn bǎ sān gēn
旅 伴 叫 小 约 翰 把 三 根
zhī tiáo fàng jìn zǎo pén zài bǎ gōng
枝 条 放 进 澡 盆 ， 再 把 公
zhǔ àn jìn zǎo pén sān cì
主 按 进 澡 盆 三 次 。

32. wǎn shang dāng xiǎo yuē hàn dì yī
晚 上 ， 当 小 约 翰 第 一
cì bǎ gōng zhǔ àn jìn zǎo pén gōng
次 把 公 主 按 进 澡 盆 ， 公
zhǔ biàn chéng le hēi tiān é
主 变 成 了 黑 天 鹅 。

世界童话名著 安徒生童话 彩图注音版

33. 第二次，公主变成了白天鹅；第三次，公主醒了，魔法消失了！

34. 公主说她好像做了一场恶梦，国王原谅了她。盛大的婚礼开始了。

35. 这时，旅伴来告别，说他是棺材里死者的灵魂。说完他就消失了。

1. cóng qián yǒu yí wèi wáng zǐ, zǒu biàn le gè ge guó jiā, yào qǔ yí
从 前 有 一 位 王 子 ， 走 遍 了 各 个 国 家 ， 要 娶 一

wèi zhēn zhèng de gōng zhǔ
位 真 正 的 公 主 。

2. tā jiàn guò xǔ duō de gōng zhǔ,
他 见 过 许 多 的 公 主 ，

kě shuí shì zhēn zhèng de gōng zhǔ ne?
可 谁 是 真 正 的 公 主 呢 ？

tā wú fǎ pàn duàn
他 无 法 判 断 。

3. zuì hòu, wáng zǐ chuí tóu sàng qì
最 后 ， 王 子 垂 头 丧 气

de huí lai le. lǎo guó wáng hé wáng
地 回 来 了 。 老 国 王 和 王

hòu yì qǐ ān wèi tā.
后 一 起 安 慰 他 。

4. 一天夜里，忽然起了狂风暴雨。有人轻轻敲门，老国王把门打开。

5. 风雨中站着一位姑娘，脸色苍白。她说自己是真正的公主。

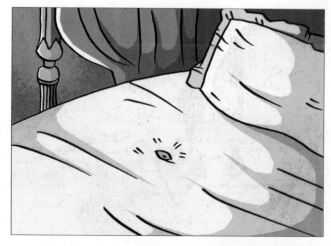

6. 王后说："只要是真正的公主，我有办法考查出来。"她带人走进卧室。

7. 王后叫宫女在床上放了一粒豌豆，然后在豌豆上铺了12床垫子。

8. 王后试了试，又带着
宫女们搬来12床鸭绒被，
铺在垫子上。

9. 那位公主洗了澡，王
后带她走进卧室，让她
睡在铺得厚厚的床上。

10. 王后悄悄对国王说：
"明天早上，我们就知道
她是不是真正的公主了。"

11. 第二天，国王和王后
见了这位公主，关心地
问她："昨晚你睡得怎样？"

世界童话名著 安徒生童话 彩图注音版

12. gōng zhǔ shēng qì de shuō
公主生气地说："天
zhī dào chuáng shang yǒu shén me dōng xi
知道床上有什么东西，
gè de wǒ quán shēn téng sǐ le
硌得我全身疼死了！"

13. wáng hòu gāo xìng de jiào qi lai
王后高兴地叫起来。
guó wáng míng bai le chú le zhēn zhèng
国王明白了：除了真正
de gōng zhǔ shuí néng zhè yàng jiāo nèn
的公主，谁能这样娇嫩!

14. guó wáng hé wáng hòu lì kè jǔ bàn qìng diǎn wáng zǐ qǔ le zhè wèi gōng
国王和王后立刻举办庆典。王子娶了这位公
zhǔ dāng qī zi
主当妻子。

hǎi de nǚ ér
海的女儿

1. hǎi wáng yǒu liù wèi gōng zhǔ tā men xià bàn jié shēn zi shì yú de wěi
   海王有六位公主，她们下半截身子是鱼的尾
   ba méi yǒu rén nà yàng de shuāng tuǐ
   巴，没有人那样的双腿。

2. liù wèi gōng zhǔ hé cí ài de zǔ
   六位公主和慈爱的祖
   mǔ zhù zài yì qǐ
   母住在一起。

3. xiǎo gōng zhǔ zhěng tiān chén mò guǎ yán
   小公主整天沉默寡言。
   yì tiān tā yóu dào chén chuán biān kàn
   一天她游到沉船边，看
   jiàn yì zūn dà lǐ shí sù xiàng
   见一尊大理石塑像。

安徒生童话

海的女儿

4. 这是一尊男青年塑像。小公主在旁边种了一棵红柳，经常到这儿来玩。

5. 祖母给公主讲人间的故事。她们只有满了15岁，才可以浮到海面上。

6. 五位姐姐满了15岁，排成队浮上海面，去看蓝天、太阳和航船。

7. 她们看见船上的水手，请他们到海底来做客，可是水手们听不见。

8. xiǎo gōng zhǔ tīng wǔ wèi jiě jie jiǎng
小 公 主 听 五 位 姐 姐 讲
hǎi miàn shang de shì tā duō pàn wàng
海 面 上 的 事 ， 她 多 盼 望
zǎo diǎn zhǎng dào suì a
早 点 长 到 15 岁 啊 ！

9. xiǎo gōng zhǔ zhōng yú suì le tā fú
小 公 主 终 于 15 岁 了 ！她 浮
chū hǎi miàn kàn jian yì sōu dà chuán
出 海 面 ，看 见 一 艘 大 船
xíng shǐ zài hǎi miàn shang
行 驶 在 海 面 上 。

10. zhè shì wáng zǐ de dà chuán jīn tiān shì wáng zǐ suì shēng ri chuán yuán
这 是 王 子 的 大 船 。 今 天 是 王 子 16 岁 生 日 ， 船 员
men zhèng zài huān qìng ne
们 正 在 欢 庆 呢 ！

世界童话名著 安徒生童话 彩图注音版

11. 月亮升起来了，船员
们跳舞唱歌。小公主看
着王子，他多么快乐啊！

12. 半夜起了狂风暴雨，
大船翻了，王子和船员
们都跌进了大海。

13. 小公主多么希望王子
到海底来来啊，但又不愿
让他淹死，只好去救他。

14. 小公主托着王子向海
岸游去，天亮时把他放
到沙滩上。

15. 一位姑娘走来了，小公主忙藏到礁石后面。姑娘扶起王子回家了。

16. 王子不知道是小公主救了他。小公主伤心极了，游回海底。

17. 姐姐们找到了王子的宫殿，从此小公主常去偷偷地看王子。

世界童话名著 安徒生童话 彩图注音版

18. 小公主想变成人，祖母说必须要有人爱她。小公主想王子会爱她的。

19. 巫婆有一种药，吃下后鱼尾会变成人腿，但走路时像刀刺一样疼。

20. 小公主要吃这种药。巫婆说："如果王子和别人结婚，你就会变成泡沫。"

21. 巫婆割下小公主的舌头，让她成了哑巴，然后交给她一包药。

22. xiǎo gōng zhǔ yóu dào wáng zǐ gōng diàn
小 公 主 游 到 王 子 宫 殿
páng de xiǎo hé tiào shang tái jiē
旁 的 小 河 ， 跳 上 台 阶 ，
chī xia le nà bāo yào
吃 下 了 那 包 药 。

23. tā tòng hūn guo qu xǐng lai hòu
她 痛 昏 过 去 。 醒 来 后 ，
tā fā xiàn yú wěi ba bú jiàn le
她 发 现 鱼 尾 巴 不 见 了 ，
biàn chéng le rén tuǐ
变 成 了 人 腿 。

24. wáng zǐ guò lai hé tā shuō huà kě tā shuō bu chū huà zǒu lù jiù
王 子 过 来 和 她 说 话 。 可 她 说 不 出 话 ， 走 路 就
xiàng cǎi zài dāo jiān shang
像 踩 在 刀 尖 上 。

海 的 女 儿

世界童话名著 安徒生童话

彩图注音版

25. wáng zǐ fú tā zǒu jìn gōng diàn
王子扶她走进宫殿，
gěi tā huàn shang huá lì de yī fu
给她换上华丽的衣服。
xiǎo gōng zhǔ rěn tòng wèi tā tiào wǔ
小公主忍痛为他跳舞。

26. wáng zǐ fēi cháng xǐ huan xiǎo gōng
王子非常喜欢小公
zhǔ bǎ tā dàng zuò xiǎo mèi mei
主，把她当做小妹妹。
kě shì tā cóng lái bù tí yào qǔ tā
可是他从来不提要娶她。

27. wáng zǐ dào lín guó qù qiú hūn
王子到邻国去求婚。
tā duì xiǎo gōng zhǔ shuō nǐ zhēn
他对小公主说："你真
xiàng jiù wǒ de nà wèi gū niang
像救我的那位姑娘。"

28. wáng zǐ hé lín guó de gōng zhǔ jié
王子和邻国的公主结
hūn le míng tiān xiǎo gōng zhǔ jiù yào
婚了，明天小公主就要
biàn chéng pào mò le
变成泡沫了。

世界童话名著 安徒生童话 彩图注音版

29. 新郎和新娘来到船上，小公主忍住悲痛，欢乐地跳舞庆贺。

30. 夜里，五位姐姐浮出海面，交给小公主一把锋利的小刀。

31. 她们告诉小公主，刺死王子，让血流到她上，她就会恢复原形。

32. xiǎo gōng zhǔ kàn jian wáng zǐ zhèng tián
小 公 主 看 见 王 子 正 甜
mì de shuì zhe, shí zài bù rěn xīn
蜜 地 睡 着 ， 实 在 不 忍 心
shā tā jiù wěn le wěn tā。
杀 他 ， 就 吻 了 吻 他 。

33. xiǎo gōng zhǔ huí dào jiǎ bǎn shang,
小 公 主 回 到 甲 板 上 ，
wàng zhe mǎn tiān shǎn liàng de xīng xing,
望 着 满 天 闪 亮 的 星 星 ，
bǎ xiǎo dāo rēng jìn le hǎi li。
把 小 刀 扔 进 了 海 里 。

34. xiǎo gōng zhǔ zòng shēn tiào jìn dà hǎi。 tā jué de shēn tǐ zài jiàn jiàn róng huà,
小 公 主 纵 身 跳 进 大 海 。 她 觉 得 身 体 在 渐 渐 融 化 ，
biàn chéng le céng céng pào mò。 tài yáng chū lai le xiǎo gōng zhǔ cóng pào mò zhōng
变 成 了 层 层 泡 沫 。 太 阳 出 来 了 ， 小 公 主 从 泡 沫 中
shēng qi lai, suí zhe cǎi yún, xiàng lán tiān fēi qu。
升 起 来 ， 随 着 彩 云 ， 向 蓝 天 飞 去 。

huáng dì de xīn yī
皇帝的新衣

cóng qián yǒu ge huáng dì fēi cháng xǐ huan chuān xīn yī fu wú lùn yǒu
1. 从前有个皇帝，非常喜欢穿新衣服，无论有
duō shǎo yī fu dōu bù mǎn zú
多少衣服都不满足。

huáng dì mìng lìng dà chén men tiē chu
2. 皇帝命令大臣们贴出
gào shi zhāo pìn néng gōng qiǎo jiàng dào
告示，招聘能工巧匠到
huáng gōng lái zuò yī fu
皇宫来做衣服。

liǎng ge wài guó zhī gōng shuō tā
3. 两个外国织工说，他
men néng zhī chu zuì piāo liang de bù
们能织出最漂亮的布，
zuò chu zuì piào liang de yī fu
做出最漂亮的衣服。

4. 他们还说，他们织出的布，凡是不称职的或愚蠢的人都看不见。

5. 皇帝心想，我穿上这种衣服，就能知道谁不称职、谁是傻瓜了。

6. 皇帝赏钱给这两个织工，命令他们快织出神奇的布，做成新衣服。

7. 两个织工不让人看他们工作，他们坐在织布机前，日夜不停地织着。

世界童话名著 安徒生童话

彩图注音版

8. 两个织工又向皇帝要
   liǎng ge zhī gōng yòu xiàng huáng dì yào
   了许多金子，说他们要
   le xǔ duō jīn zi shuō tā men yào
   织金光闪闪的布料。
   zhī jīn guāng shǎn shǎn de bù liào

9. 全城百姓都知道了这
   quán chéng bǎi xìng dōu zhī dào le zhè
   件事，他们盼着早点看
   jiàn shì tā men pàn zhe zǎo diǎn kàn
   到那件神奇衣服。
   dào nà jiàn shén qí yī fu

10. 皇帝更是着急万分，
    huáng dì gèng shì zháo jí wàn fēn
    整天坐立不安。
    zhěng tiān zuò lì bù ān

171

11. 他派去一位大臣。大
臣一看，奇怪啊，织布
机上什么也没有！

12. 两个织工比画着说布
多么漂亮。大臣假装看
见了，连连称赞。

13. 大臣回来，不敢说实
话，添枝加叶地把织工
讲的话对皇帝说了。

14. 皇帝非常高兴，把更
多的金子给了两个织工。

15. huáng dì xiǎng shì shi lìng yí wèi dà chén shì bu shì chèn zhí ， jiù pài tā
皇帝想试试另一位大臣是不是称职，就派他
qù zhī gōng nà er kàn kan 。
去织工那儿看看。

16. zhè wèi dà chén yě shì shén me dōu
这位大臣也是什么都
méi kàn jian ， xīn xiǎng ， nán dào wǒ
没看见，心想，难道我
bú chèn zhí ， wǒ yú chǔn ？
不称职，我愚蠢？

17. tā bù xiǎng ràng huáng dì zhī dào ，
他不想让皇帝知道，
bù děng zhī gōng shuō huà ， jiù tāo tāo
不等织工说话，就滔滔
bù jué chēng zàn bù zhī de měi jí le 。
不绝称赞布织得美极了。

173

18. huí dào huáng gōng, zhè wèi dà chén
回 到 皇 宫 ， 这 位 大 臣
shuō, bù liào guāng cǎi duó mù, jiǎn
说 ， 布 料 光 彩 夺 目 ， 简
zhí wú fǎ xíng róng!
直 无 法 形 容 ！

19. huáng dì jué dìng qīn zì qù kàn
皇 帝 决 定 亲 自 去 看
kan. tā zhǔn bèi zài qìng zhù dà diǎn
看 。 他 准 备 在 庆 祝 大 典
shang chuān shang zhè jiàn yī fu.
上 穿 上 这 件 衣 服 。

20. huáng dì zǒu jìn zhī bù fáng, liǎng
皇 帝 走 进 织 布 房 ， 两
ge zhī gōng zhèng zhuān xīn zhì zhì zuò zài
个 织 工 正 专 心 致 志 坐 在
zhī bù jī qián máng lù zhe.
织 布 机 前 忙 碌 着 。

21. huáng dì jiàn zhī bù jī shang shén me
皇 帝 见 织 布 机 上 什 么
yě méi yǒu, jīng dāi le. liǎng ge
也 没 有 ， 惊 呆 了 。 两 个
zhī gōng máng xiàng huáng dì jiè shào.
织 工 忙 向 皇 帝 介 绍 。

22. 皇帝只好装模作样东
看看，西摸摸，赞扬说：
"很好！很好！"

23. 随从们虽然什么也没
有看见，却一个个抢着
说话，大加赞美。

24. 庆祝大典前一夜，两
个织工点起几十支蜡烛，
为皇帝缝制新衣服。

25. 他们拿着剪刀在空中
剪来剪去，又用没有线
的针一上一下缝着。

世界童话名著 安徒生童话 彩图注音版

26. tā men máng lù le yí yè， tiān
他们忙碌了一夜，天
yí liàng jiù shuāng shǒu kōng kōng de tuō
一亮，就双手空空地托
zhe qǐng huáng dì chuān xīn yī fu
着，请皇帝穿新衣服。

27. huáng dì shén me yě méi yǒu kàn
皇帝什么也没有看
dào què bú zhù de kuā jiǎng yī fu
到，却不住地夸奖衣服
zuò de hǎo
做得好。

28. huáng dì tuō guāng le yī fu， liǎng ge zhī gōng jiǎ zhuāng bǎ xīn yī fu yí
皇帝脱光了衣服，两个织工假装把新衣服一
jiàn jiàn gěi tā chuān shang
件件给他穿上！

29. 他们请皇帝照镜子，
看看衣服是不是合适。
随从们纷纷赞美。

30. 庆祝大典开始了，鼓
乐齐鸣，皇帝在大臣们
的簇拥下，走了出来。

31. 大臣们跟在皇帝的后
面，都托着双手，好像
为皇帝托着长袍。

32. 皇帝向大街两旁的人
们招手。人们都没有看
见新衣服，可谁也不说。

世界童话名著 安徒生童话 彩图注音版

33. 有个孩子忽然大叫起来："皇帝身上没有穿衣服呀！"

34. 人们立刻议论起来。皇帝这才相信自己确实没有穿衣服！

35. 皇帝知道被骗，却始终不承认，因为他不愿让人们说他愚蠢啊！

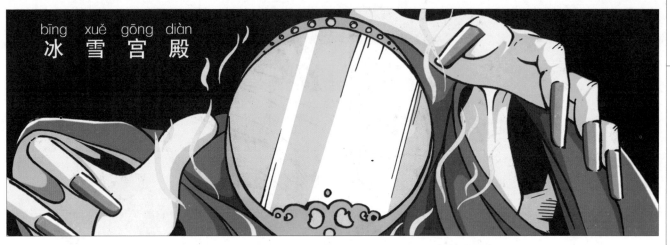

bīng xuě gōng diàn
冰雪宫殿

世界童话名著 安徒生童话 彩图注音版

1. yí ge mó guǐ yǒu miàn mó jìng, shì shang měi hǎo de dōng xi, zhào jìn
一 个 魔 鬼 有 面 魔 镜 ， 世 上 美 好 的 东 西 ， 照 进
mó jìng jiù biàn de fēi cháng chǒu è
魔 镜 就 变 得 非 常 丑 恶 。

2. zhè tiān, mó guǐ dài zhe mó jìng
这 天 ， 魔 鬼 带 着 魔 镜
fēi xíng, bù xiǎo xīn bǎ mó jìng shuāi
飞 行 ， 不 小 心 把 魔 镜 摔
xia lai, suì piàn sì chù fēi bèng
下 来 ， 碎 片 四 处 飞 进 。

3. nán hái jiā yī hé nǚ hái gé ěr jiā
男 孩 加 伊 和 女 孩 格 尔 加
dá zhèng zài wán, suì piàn fēi jìn
达 正 在 玩 ， 碎 片 飞 进
yī de yǎn jing hé xīn li
伊 的 眼 睛 和 心 里 。

179

4. jiā yī de xīn biàn chéng le bīng kuài
加伊的心变成了冰块，
tā jué de méi guī chǒu è　　chě diào
他觉得玫瑰丑恶，扯掉
méi guī huā dú zì zǒu le
玫瑰花，独自走了。

5. jiā yī kàn jian dà xuě qiāo shang yǒu
加伊看见大雪橇上有
rén xiàng tā zhāo shǒu jiù gēn zhe dà
人向他招手，就跟着大
xuě qiāo yuǎn qù le
雪橇远去了。

6. dà xuě qiāo shang zuò zhe bīng xuě huáng
大雪橇上坐着冰雪皇
hòu tā bǎ jiā yī bào qi lai
后，她把加伊抱起来，
fēi xiàng yuǎn fāng
飞向远方。

7. gé ěr dá dào chù xún zhǎo jiā yī
格尔达到处寻找加伊。
zhè tiān tā huá zhe xiǎo chuán yán zhe
这天她划着小船，沿着
hé àn piāo liú xia qu
河岸漂流下去。

8. huá zhe huá zhe, tā lái dào yí
划 着 划 着 ， 她 来 到 一
piàn yīng táo yuán。 yí wèi lǎo nǎi nai
片 樱 桃 园 。 一 位 老 奶 奶
qǐng tā shàng àn dào wū li xiū xi。
请 她 上 岸 到 屋 里 休 息 。

9. gé ěr dá zǒu jìn xiǎo wū， lǎo
格 尔 达 走 进 小 屋 ， 老
nǎi nai duān lai hěn duō yīng táo qǐng tā
奶 奶 端 来 很 多 樱 桃 请 她
chī， yào tā zài zhè er zhù xia。
吃 ， 要 她 在 这 儿 住 下 。

10. zhè tiān huā yuán li de méi gui duì
这 天 花 园 里 的 玫 瑰 对
gé ěr dá shuō："jiā yī hái huó
格 尔 达 说 ： "加 伊 还 活
zhe， kuài qù zhǎo tā！"
着 ， 快 去 找 他 ！ "

11. gé ěr dá qiāo qiāo liū chu huā yuán，
格 尔 达 悄 悄 溜 出 花 园 ，
qù xún zhǎo jiā yī。 kě shì jiā yī
去 寻 找 加 伊 。 可 是 加 伊
dào nǎ er qù le ne？
到 哪 儿 去 了 呢 ？

世界童话名著
安徒生童话
彩图注音版

12.
gé ěr dá zǒu lèi le ， yì zhī
格尔达走累了，一只
wū yā duì tā shuō ： "wáng gōng li
乌鸦对她说："王宫里
yǒu ge nán hái ， nǐ kuài qù kàn kan 。"
有个男孩，你快去看看。"

13.
yè li gé ěr dá zǒu jìn wáng gōng
夜里格尔达走进王宫
de wò shì yí kàn ， chuángshang shuì zhe
的卧室一看，床上睡着
xiǎo gōng zhǔ hé yí ge nán hái 。
小公主和一个男孩。

14.
nà nán hái bú shì jiā yī ， shì
那男孩不是加伊，是
xiǎo wáng zǐ 。 gé ěr dá bǎ shì qing
小王子。格尔达把事情
jīng guò gào su le xiǎo wáng zǐ 。
经过告诉了小王子。

15. 小王子送给她一辆马车和许多食品，让她继续寻找加伊。

16. 半路上，格尔达遇到了女强盗，女强盗的女儿留下了她。

17. 半夜，女强盗女儿的斑鸠告诉格尔达，它看见加伊往拉普兰去了。

18. 女强盗的女儿问她养的驯鹿："拉普兰在哪儿？"

世界童话名著
安徒生童话
彩图注音版

19. 原来驯鹿就是在拉普兰雪地里长大的，驯鹿要带格尔达去寻找加伊。

20. 天亮后，女强盗的女儿送给格尔达许多面包，让她骑着驯鹿逃走。

21. 格尔达骑着驯鹿，越过高山，穿过森林，来到了白雪茫茫的拉普兰。

22. 破屋里走出一位老奶奶。她告诉格尔达，加伊在冰雪皇后宫殿里。

23. 老奶奶对格尔达说："你必须把加伊眼里和心里的魔镜碎片取出来。"

24. 格尔达骑上驯鹿继续赶路。雪地里真冷啊，可她心里暖呼呼的。

25. 驯鹿要回去了。它把格尔达放下来，叫她独自去冰雪宫殿。

冰雪宫殿

世界童话名著 安徒生童话 彩图注音版

安徒生童话

冰雪宫殿

27. 冰雪皇后出去了。格尔达走进宫殿，啊，整座宫殿都是冰雪筑成的！

26. 格尔达在雪地里艰难地走呀走呀，终于来到了冰雪皇后的宫殿。

28. 加伊孤零零地坐在宫殿里，全身都冻僵了，格尔达不顾一切跑过去。

29. 格尔达不停喊叫："加伊！加伊！"可加伊冷冰冰坐着，不回答她。

30. 滚滚的热泪从格尔达的眼里流出来，流到加伊脸上，渗进他心里。

31. 啊，加伊心上的冰雪被热泪融化了！那块魔镜碎片也融化了！

32. 加伊伤心得大哭起来。热泪冲出眼睛，把眼里的魔镜碎片冲出来。

33. 加伊认出了格尔达，
jiā yī rèn chu le gé ěr dá

叫起来："啊，我们很久
jiào qi lai ā wǒ men hěn jiǔ

没有见面了！"
méi yǒu jiàn miàn le

34. 格尔达抱着加伊笑起
gé ěr dá bào zhe jiā yī xiào qi

来。他们笑出许多眼泪，
lai tā men xiào chu xǔ duō yǎn lèi

冰雪宫殿变暖和了！
bīng xuě gōng diàn biàn nuǎn huo le

35. 他们走出冰雪宫殿，这时驯鹿飞跑过来。他
tā men zǒu chu bīng xuě gōng diàn zhè shí xùn lù fēi pǎo guo lai tā

们骑上驯鹿回家了。
men qí shang xùn lù huí jiā le

zài xiǎo bǎo bao de fáng jiān li
在 小 宝 宝 的 房 间 里

世界童话名著 **安徒生童话** 彩图注音版

zhè tiān wǎn shang　　qí tā rén dōu qù kàn xì le　　zhǐ yǒu gān bà ba
1. 这 天 晚 上 ， 其 他 人 都 去 看 戏 了 。 只 有 干 爸 爸
péi zhe xiǎo ān nà dāi zài jiā li
陪 着 小 安 娜 呆 在 家 里 。

　　wǒ men yě lái kàn xì ba
2. " 我 们 也 来 看 戏 吧 ！ "
gān bà ba shuō　　yòng jǐ běn shū hé
干 爸 爸 说 ， 用 几 本 书 和
mù xiá zi dā le ge wǔ tái
木 匣 子 搭 了 个 舞 台 。

　　　　tā yòu zhǎo lai yí ge yān dǒu hé bàn
3. 他 又 找 来 一 个 烟 斗 和 扮
yì zhī dān shǒu tào ràng tā men
一 只 单 手 套 ， 让 它 们
yǎn zhī fù qīn hé nǚ ér
演 只 父 亲 和 女 儿 。

189

4. tā ràng yí ge jiù mǎ jiǎ yǎn shǒu
他 让 一 个 旧 马 甲 演 手
tào xiǎo jiě de péng you ràng cháng tǒng
套 小 姐 的 朋 友 ， 让 长 筒
xuē yǎn bú shòu huān yíng de qiú hūn zhě
靴 演 不 受 欢 迎 的 求 婚 者 。

5. yǎn chū kāi shǐ le yān dǒu bà
演 出 开 始 了 。 烟 斗 爸
ba shuō wǒ shì yì jiā zhī zhǔ
爸 说 ： "我 是 一 家 之 主 ，
yào bǎ nǚ ér jià gěi xuē zi xiān sheng
要 把 女 儿 嫁 给 靴 子 先 生 。"

6. mǎ jiǎ xiān sheng zǒu shang wǔ tái shuō
马 甲 先 生 走 上 舞 台 ， 说 ：
wǒ shēn shang méi yì diǎn wū diǎn
"我 身 上 没 一 点 污 点 ，
yīng gāi yǐn qǐ dà jiā de zhòng shì
应 该 引 起 大 家 的 重 视 ！"

7. yān dǒu bà ba dǎ duàn le tā
烟 斗 爸 爸 打 断 了 他 ：
nǐ de yán sè yì xǐ jiù tuì
"你 的 颜 色 一 洗 就 褪 ，
kě pí xuē xiān sheng bú pà shuǐ jìn
可 皮 靴 先 生 不 怕 水 浸 ！"

8. 这时，手套小姐伸出手指说：“一个手套没有朋友，真叫人忍受不了！”

9. 马甲先生拉着手套小姐说：“亲爱的手套姑娘，你应该嫁给我呀！”

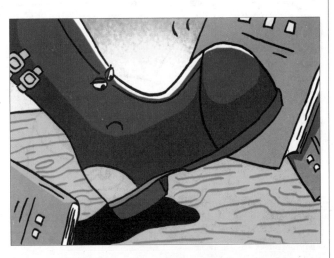

10. 皮靴先生进来，见到这个场面，气得一脚踢翻了当做布景的三本书。

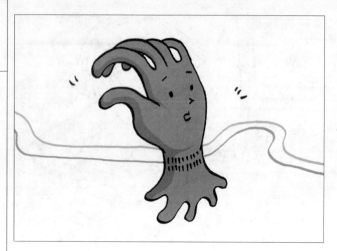

11. 手套小姐唱起了歌：
"我讲不出道理，只好
学鸡啼：喔喔喔——"

12. 马甲先生把烟斗爸爸
塞进口袋，说："快答应
把你的女儿嫁给我！"

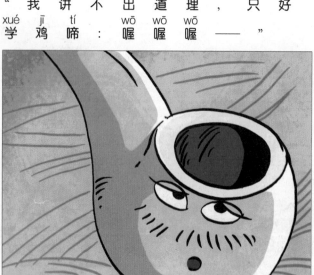

13. 烟斗爸爸叫喊起来：
"快放我出来吧！我答应
你的请求！"

14. 于是，马甲先生和手
套小姐双双跪下，结成
夫妻，戏结束了。

cōng míng rén de bǎo shí
聪 明 人 的 宝 石

世界童话名著 **安徒生童话** 彩图注音版

1. shì jiè de jìn tóu yǒu yì kē tài yáng shù shù dǐng shang de shuǐ jīng gōng
世 界 的 尽 头 有 一 棵 太 阳 树 ， 树 顶 上 的 水 晶 宫
diàn li zhù zhe yí wèi guó wáng
殿 里 住 着 一 位 国 王 。

2. guó wáng de mì shì cáng zhe yì běn
国 王 的 密 室 藏 着 一 本
zhēn lǐ zhī shū zì jì hěn mó hu
真 理 之 书 ， 字 迹 很 模 糊 ，
zhǐ yǒu cōng míng rén cái néng dú dǒng
只 有 聪 明 人 才 能 读 懂 。

3. guó wáng kě wàng zài shū zhōng zhǎo dào
国 王 渴 望 在 书 中 找 到
yǒng shēng de qǐ shì dàn tā kàn bu
永 生 的 启 示 ， 但 他 看 不
qīng shū shang de zì
清 书 上 的 字 。

聪明人的宝石

4. 一天，国王叫来四位王子和一位盲眼公主，和他们谈起真善美。

5. 国王说，真善美结合，会出现聪明人的宝石，有了它，就能读懂真理之书。

6. 孩子们回去后，都梦见他们找到了那块宝石，读懂了真理之书。

7. 第二天，大王子骑着马离开宫殿，去寻找聪明人的宝石。

世界童话名著 安徒生童话 彩图注音版

tā de shì jué tè bié fā dá。tā sì chù guān wàng，fā xiàn rén men
8. 他 的 视 觉 特 别 发 达 。 他 四 处 观 望 ， 发 现 人 们

zǒng shì zàn měi xū wěi de dōng xi
总 是 赞 美 虚 伪 的 东 西 。

dà wáng zǐ xiǎng jiū zhèng zhè zhǒng bù
9. 大 王 子 想 纠 正 这 种 不

liáng xiàn xiàng。zhè shí mó guǐ guā qi
良 现 象 。 这 时 魔 鬼 刮 起

fēng shā，nòng xiā le tā de yǎn jing
风 沙 ， 弄 瞎 了 他 的 眼 睛 。

dà wáng zǐ shī qù le xún zhǎo bǎo
10. 大 王 子 失 去 了 寻 找 宝

shí de xìn xīn，yě wú fǎ zhǎo dào
石 的 信 心 ， 也 无 法 找 到

huí jiā de lù
回 家 的 路 。

11. "大王子失败了！"野天鹅把大王子遭遇告诉了他的家人。

12. 二王子的听觉非常灵敏，他信心百倍地骑着马，去寻找宝石。

13. 他走进一座城市，听到谣言在四处传播，忙用手指紧紧塞住耳朵。

14. 但虚伪的歌声和邪恶的诽谤仍往他耳朵里钻，竟把耳鼓顶破了。

15. 二王子什么也听不见的
　　 èr wáng zǐ shén me yě tīng bu jiàn de
　　了，他放弃了找宝石了。
　　 le tā fàng qì le zhǎo bǎo shí le
　　念头，彻底绝望了。
　　 niàn tou chè dǐ jué wàng le

16. 鸟儿们把这个不幸的
　　 niǎo er men bǎ zhè ge bú xìng de
　　消息带回来，国王和他
　　 xiāo xi dài huí lai guó wáng hé tā
　　的孩子们更伤心了。
　　 de hái zi men gèng shāng xīn le

17. 三王子有高度发达的嗅觉，他骑着大驼鸟，
　　 sān wáng zǐ yǒu gāo dù fā dá de xiù jué tā qí zhe dà tuó niǎo
　　来到一个美丽的国家。
　　 lái dào yí ge měi lì de guó jiā

世界童话名著 安徒生童话
彩图注音版

18. 他唱起一首关于真善美的歌。人们在哪里都能听到他的歌声。

19. 魔鬼很不高兴，立即点燃许多香烟，让烟雾把三王子层层包住。

20. 三王子被熏得昏头昏脑，结果忘掉了他的使命，消失在烟雾中。

21. sì wáng zǐ de wèi jué hěn líng
四 王 子 的 味 觉 很 灵
mǐn tā jué xīn xué tā de gē ge
敏 。 他 决 心 学 他 的 哥 哥
men chéng zhe rè qì qiú fēi zǒu le
们 ， 乘 着 热 气 球 飞 走 了 。

22. qì qiú fēi dào yí zuò chéng shì shàng
气 球 飞 到 一 座 城 市 上
kōng luò zài jiào táng tǎ dǐng shang
空 ， 落 在 教 堂 塔 顶 上 ，
sì wáng zǐ xiàng xià guān wàng
四 王 子 向 下 观 望 。

世界童话名著 安徒生童话 彩图注音版

23. dà jiē shang rén men dōu zài zuò
大 街 上 ， 人 们 都 在 做
zhe wú liáo de shì sì wáng zǐ jiàn
着 无 聊 的 事 。 四 王 子 见
le hěn shī wàng
了 很 失 望

24. tā gān cuì yí dòng bú dòng zuò
他 干 脆 一 动 不 动 坐
zhe ràng fēng chuī fú zhe tā lǎn
着 ， 让 风 吹 拂 着 他 ， 懒
de zài qù xún zhǎo bǎo shí
得 再 去 寻 找 宝 石 。

25. guó wáng shāng xīn de shuō hái
国王伤心地说："孩
zi men yí qù bù huí wǒ yǒng yuǎn
子们一去不回，我永远
dé bu dào cōng míng rén de bǎo shí le
得不到聪明人的宝石了！"

26. máng yǎn gōng zhǔ mèng jiàn sì wèi wáng
盲眼公主梦见四位王
zǐ zài xiàng tā qiú jiù kě tā méi
子在向她求救，可她没
fǎ bāng zhù tā men
法帮助他们。

27. hū rán tā jué de shǒu shang yǒu huǒ
忽然她觉得手上有火
zài shāo ā nà kē cōng míng rén
在烧。啊，那颗聪明人
de bǎo shí jiù wò zài tā shǒu shang
的宝石就握在她手上。

28. xǐng lái shí tā cái fā xiàn niē
醒来时，她才发现捏
zhe de shì fǎng chē de bǎ shou tā
着的是纺车的把手。她
jué xīn qù shí xiàn mèng xiǎng
决心去实现梦想。

29. 她从树上摘下四片绿叶，托风神和雨神交给哥哥们，引他们回家。

30. 她拿起纺锤，把纺线的一端系在国王房门上，然后走向外面的世界。

31. 她的手指好像是眼睛，心好像是耳朵。她听到了歌声和哭号。

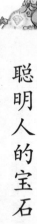

33. 她走到哪里，哪里的人们心中都会闪耀起真善美的光芒。

32. 她边走边唱："依靠自己，理想会实现！"她的歌声打动了许多人。

34. 魔鬼用谎言和嫉妒的泪水塑成一个假公主，妄想取代盲眼公主。

35. 盲眼公主满怀信心地说："我感觉到宝石正在我的手里发光呢！"

36. 她把手伸向王宫。啊，盲眼公主竟顺着纺线，飞回宫殿里。

37. 魔鬼紧紧追赶，闯进国王的密室，企图抢走那本真理之书。

38. 国王惊叫起来，同时紧紧握住盲眼公主的手。

世界童话名著 安徒生童话 彩图注音版

39. 公主说："魔鬼无法战胜真善美，因为我已感觉到了宝石的光辉！"

40. 国王看到一束强光从公主的手上射出，射到真理之书上面。

41. 啊，在这耀眼光芒的照射下，书面上呈现出来两个大字：信心。

42. 这时，四位王子拿着四片绿叶回到王宫，他们一起分享胜利的喜悦。

péng you
朋友

chōu tì li tǎng zhe yí ge tuó luó hé yí ge qiú er   tuó luó shuō
1. 抽屉里躺着一个陀螺和一个球儿。陀螺说：
qiú er   zuò wǒ de péng you ba
" 球儿，做我的朋友吧！"

qiú er shì yòng zhēn pí féng chéng de
2. 球儿是用真皮缝成的，
hěn jiāo ào   tā qīng miè de qiáo zhe
很骄傲。她轻蔑地瞧着
tuó luó   yì shēng yě bù kēng
陀螺，一声也不吭。

yì tiān   xiǎo zhǔ rén gěi tuó luó
3. 一天，小主人给陀螺
tú shang yán sè   yòu dìng shang ge tóng
涂上颜色，又钉上个铜
dīng   tuó luó biàn piāo liang la
钉。陀螺变漂亮啦！

世界童话名著
安徒生童话
彩图注音版

4. 陀螺又向球儿说：" 现
在我俩很般配，我们订
婚好吗？"

5. 球儿哼了一声，说：
" 我已经和燕子订了婚，
你别痴心妄想了！"

6. 这天，小主人在院子
里拍球，忽然球儿蹦得
老高，飞出院墙不见了。

7. 陀螺叹着气说：" 唉，
她一定飞到燕子那儿，
跟燕子结婚了！"

朋友

8. 过了好几年，陀螺全身被涂上一层金，变成了一只珍贵的金陀螺。

9. 金陀螺真高兴啊。他跳呀，唱呀，不小心蹦到院外的垃圾箱里。

10. 金陀螺向四周望了望，他看到他的老"朋友"——那个真皮球儿。

世界童话名著

安徒生童话

彩图注音版

11. 球儿诉苦说："这些年我一直躺在这里，变得又破又旧，太不幸了！"

12. 金陀螺望着丑陋的球儿，一句话也没说。他们的友情从此结束。

13. 这时来了个小女孩，发现了失踪的金陀螺。

14. 金陀螺重新成为小主人的玩具。球儿呢，却永远呆在垃圾箱里了。

zhǐ pái
纸 牌

1. 小威廉剪贴出了一个宫殿。宫殿有塔、有吊
xiǎo wēi lián jiǎn tiē chu le yí ge gōng diàn   gōng diàn yǒu tǎ   yǒu diào
桥，占满了桌面。
qiáo   zhàn mǎn le zhuō miàn

2. 塔上站着一个木雕的
tǎ shang zhàn zhe yí ge mù diāo de
守塔人。他举着号筒，
shǒu tǎ rén   tā jǔ zhe hào tǒng
却不去吹它。
què bú qù chuī tā

3. 这天晚上，小威廉放
zhè tiān wǎn shang   xiǎo wēi lián fàng
下吊桥，然后打开宫殿
xia diào qiáo   rán hòu dǎ kāi gōng diàn
的大门朝里看。
de dà mén cháo lǐ kàn

世界童话名著 安徒生童话 彩图注音版

4. 大厅的墙上挂着许多纸牌，有国王、有皇后，还有四位贾克。

5. 国王们正向小威廉致敬哩！四位皇后也朝他点头，表示看到了他。

6. 小威廉把头向前伸去，结果碰到了宫殿，把它弄得摇动起来。

7. 这时，四位贾克举起武器，警告小威廉不要再向前顶。

8. 小威廉对红心贾克点
了三次头，红心贾克从
墙上跳下来。

xiǎo wēi lián duì hóng xīn jiǎ kè diǎn
le sān cì tóu, hóng xīn jiǎ kè cóng
qiáng shang tiào xia lai

9. 红心贾克站在大厅中
间，举着武器问小威廉：
"你叫什么名字？"

hóng xīn jiǎ kè zhàn zài dà tīng zhōng
jiān, jǔ zhe wǔ qì wèn xiǎo wēi lián:
nǐ jiào shén me míng zi

10. "我叫威廉，"小威廉说，"宫殿是我造的，
你是我的红心贾克。"

wǒ jiào wēi lián xiǎo wēi lián shuō gōng diàn shì wǒ zào de
nǐ shì wǒ de hóng xīn jiǎ kè

11. "不！" 红心贾克摇着头说，"我是国王和皇后的贾克，不是你的！"

12. 小威廉请他讲故事。他让小威廉点上蜡烛，就开始讲故事了。

13. 他说："这里起先由红心国王统治国家，后来方块国王登基了……"

14. 讲到这里，红心贾克再也不开口了，望着那根蜡烛，一动也不动。

世界童话名著 安徒生童话 彩图注音版

15. 小威廉又向方块贾克点了三次头。方块贾克
xiǎo wēi lián yòu xiàng fāng kuài jiǎ kè diǎn le sān cì tóu fāng kuài jiǎ kè
跳出来说:"点蜡烛。"
tiào chu lai shuō diǎn là zhú

16. 小威廉点起一根蜡烛。
xiǎo wēi lián diǎn qi yì gēn là zhú
方块贾克向他致敬,接
fāng kuài jiǎ kè xiàng tā zhì jìng jiē
着开始讲故事。
zhe kāi shǐ jiǎng gù shi

17. 他说:"方块国王和
tā shuō fāng kuài guó wáng hé
皇后是可爱的人,人们
huáng hòu shì kě ài de rén rén men
为他们建了纪念碑。"
wèi tā men jiàn le jì niàn bēi

18. jiǎng dào zhè er，fāng kuài jiǎ kè nà
讲 到 这 儿 ， 方 块 贾 克 那
jìng le ge lǐ， dāi dāi wàng zhe
敬 了 个 礼 ， 呆 呆 望 着
gēn là zhú， bì jǐn le zuǐ ba。
根 蜡 烛 ， 闭 紧 了 嘴 巴 。

19. zhè shí méi huā jiǎ kè cóng qiáng shang
这 时 梅 花 贾 克 从 墙 上
zǒu xia lai， méi yǒu yāo qiú diǎn là
走 下 来 ， 没 有 要 求 点 蜡
zhú jiù jiǎng gù shi le。
烛 就 讲 故 事 了 。

20. tā shuō： wǒ xiàn zài wèi méi fú
他 说：" 我 现 在 为 梅 服
huā guó wáng hé huáng hòu zuò shì，
花 国 王 和 皇 后 做 事，
cóng tā men de mìng lìng。 jìng lǐ！"
从 他 们 的 命 令。 敬 礼！"

21. shuō zhe， tā jiù jìng le ge lǐ。
说 着 ， 他 就 敬 了 个 礼。
xiǎo wēi lián yě wèi tā diǎn rán le yì
小 威 廉 也 为 他 点 燃 了 一
gēn là zhú。
根 蜡 烛。

22. 黑桃贾克说："如果贾克有一根蜡烛，那么我们的主人就该有三根！"

23. 小威廉答应了他的请求，大厅里顿时火光通明。

24. 国王们相互致敬，皇后们边摇着金扇子，边同小威廉打招呼。

世界童话名著 安徒生童话 彩图注音版

25. 他们到大厅中间跳舞，可是不小心碰倒了蜡烛，整个宫殿开始燃烧。

26. 小威廉惊恐地跳到一边，大声叫喊："爸爸，妈妈，宫殿烧起来了！"

27. 国王和皇后在火光中唱道："骑着枣红马飞向光明。贾克们来吧！"

28. 一会儿，宫殿和纸牌就化为灰烬了。这可不能怪小威廉呀！

jiǎ chóng
甲虫

huáng dì piào liang de mǎ jiù guo huáng dì de mìng　huáng dì ràng tiě jiang gěi
1. 皇帝漂亮的马救过皇帝的命，皇帝让铁匠给
tā dìng shang jīn mǎ zhǎng
它钉上金马掌。

jiǎ chóng pá guo lai　　shēn chu tā
2. 甲虫爬过来，伸出他
de shòu tuǐ　　yě xiǎng ràng tiě jiang gěi
的瘦腿，也想让铁匠给
tā jīn mǎ zhǎng
他金马掌。

tiě jiang jī xiào tā　　　"　nǐ yě
3. 铁匠讥笑他："你也
xiǎng yào jīn mǎ zhǎng　nǐ zhī dào mǎ
想要金马掌？你知道马
wèi shén me yào yǒu jīn mǎ zhǎng ma
为什么要有金马掌吗？"

世界童话名著 安徒生童话 彩图注音版

4. "你在侮辱我，"甲虫
很不高兴地说，"我要
到外面的世界去旅行。"

5. 甲虫飞到小花园里，
遇到小瓢虫和毛虫，不
过他不愿理他们。

6. 甲虫躺在草地上睡着
了。忽然下起了暴雨，
淋湿了甲虫的翅膀。

7. 甲虫躲进一床被单里
避雨。被单边坐着两只
青蛙，正愉快地交谈。

8. "
wǒ lái zì huáng dì de mǎ jiù
我 来 自 皇 帝 的 马 厩 ，"
jiǎ chóng shuō   zhè er yǒu lā jī
甲 虫 说 ，"这 儿 有 垃 圾
duī ma wǒ xiǎng zhù jìn qu
堆 吗 ？我 想 住 进 去 。"

9.
liǎng zhī qīng wā tīng bu dǒng tā de
两 只 青 蛙 听 不 懂 他 的
huà jiǎ chóng fēi dào hé gōu páng
话 。甲 虫 飞 到 河 沟 旁 ，
yù jian jǐ zhī jiǎ chóng mā ma
遇 见 几 只 甲 虫 妈 妈 。

10.
jiǎ chóng mā ma men tīng shuō tā lái zì huáng jiā mǎ jiù   jiù bǎ yí wèi
甲 虫 妈 妈 们 听 说 他 来 自 皇 家 马 厩 ， 就 把 一 位
jiǎ chóng gū niang jià gěi le tā
甲 虫 姑 娘 嫁 给 了 他 。

世界童话名著 安徒生童话 彩图注音版

11. 不过甲虫对他的婚姻
并不满意，婚后的第三
天，他就偷偷地溜走了。

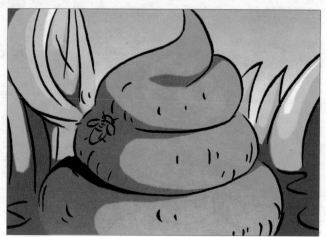

12. 甲虫飞进一个温室，
钻进一堆新鲜的粪土
里，一会儿就睡着了。

13. 他梦见皇帝的马死了，
他自己得到了马的金马
掌。

14. 园丁的小儿子和他的
伙伴发现了甲虫，便把
他裹在一片叶子里。

15. <ruby>他<rt>tā</rt></ruby><ruby>们<rt>men</rt></ruby><ruby>用<rt>yòng</rt></ruby><ruby>破<rt>pò</rt></ruby><ruby>木<rt>mù</rt></ruby><ruby>鞋<rt>xié</rt></ruby><ruby>做<rt>zuò</rt></ruby><ruby>了<rt>le</rt></ruby><ruby>只<rt>zhī</rt></ruby><ruby>小<rt>xiǎo</rt></ruby><ruby>船<rt>chuán</rt></ruby>，<ruby>用<rt>yòng</rt></ruby><ruby>毛<rt>máo</rt></ruby><ruby>线<rt>xiàn</rt></ruby><ruby>把<rt>bǎ</rt></ruby><ruby>甲<rt>jiǎ</rt></ruby><ruby>虫<rt>chóng</rt></ruby><ruby>绑<rt>bǎng</rt></ruby><ruby>在<rt>zài</rt></ruby><ruby>桅<rt>wéi</rt></ruby><ruby>杆<rt>gān</rt></ruby><ruby>上<rt>shang</rt></ruby>，<ruby>放<rt>fàng</rt></ruby><ruby>进<rt>jìn</rt></ruby><ruby>湖<rt>hú</rt></ruby><ruby>里<rt>li</rt></ruby>。

16. <ruby>木<rt>mù</rt></ruby><ruby>鞋<rt>xié</rt></ruby><ruby>离<rt>lí</rt></ruby><ruby>开<rt>kāi</rt></ruby><ruby>湖<rt>hú</rt></ruby><ruby>岸<rt>àn</rt></ruby><ruby>越<rt>yuè</rt></ruby><ruby>漂<rt>piāo</rt></ruby><ruby>越<rt>yuè</rt></ruby><ruby>远<rt>yuǎn</rt></ruby>。<ruby>甲<rt>jiǎ</rt></ruby><ruby>虫<rt>chóng</rt></ruby><ruby>吓<rt>xià</rt></ruby><ruby>得<rt>de</rt></ruby><ruby>发<rt>fā</rt></ruby><ruby>抖<rt>dǒu</rt></ruby>，<ruby>可<rt>kě</rt></ruby><ruby>他<rt>tā</rt></ruby><ruby>没<rt>méi</rt></ruby><ruby>法<rt>fǎ</rt></ruby><ruby>子<rt>zi</rt></ruby><ruby>飞<rt>fēi</rt></ruby><ruby>走<rt>zǒu</rt></ruby>。

17. "<ruby>太<rt>tài</rt></ruby><ruby>不<rt>bù</rt></ruby><ruby>公<rt>gōng</rt></ruby><ruby>平<rt>píng</rt></ruby><ruby>了<rt>le</rt></ruby>！" <ruby>甲<rt>jiǎ</rt></ruby><ruby>虫<rt>chóng</rt></ruby><ruby>说<rt>shuō</rt></ruby><ruby>道<rt>dào</rt></ruby>，"<ruby>皇<rt>huáng</rt></ruby><ruby>帝<rt>dì</rt></ruby><ruby>的<rt>de</rt></ruby><ruby>马<rt>mǎ</rt></ruby><ruby>穿<rt>chuān</rt></ruby><ruby>金<rt>jīn</rt></ruby><ruby>马<rt>mǎ</rt></ruby><ruby>掌<rt>zhǎng</rt></ruby>，<ruby>我<rt>wǒ</rt></ruby><ruby>却<rt>què</rt></ruby><ruby>在<rt>zài</rt></ruby><ruby>这<rt>zhè</rt></ruby><ruby>儿<rt>er</rt></ruby><ruby>受<rt>shòu</rt></ruby><ruby>罪<rt>zuì</rt></ruby>。"

世界童话名著 安徒生童话 彩图注音版

221

18. 几位小姐划着船儿把甲虫捞上来，放回到岸上。

19. 甲虫又飞起来了，一直飞进一个巨大的建筑物里才落下来。

20. 哈，真巧，他恰恰落在国王那匹马的身上。他紧紧抓住马毛。

21. 他心满意足地说："我懂了，马得到金马掌是为了让我能骑着他。"

yì zhū lěng shān
一株冷杉

dà shù lín li zhǎng zhe yì zhū xiǎo lěng shān　　tā néng xiǎng shòu dào chōng zú
1. 大树林里长着一株小冷杉，它能享受到充足
de yáng guāng hé xīn xiān de kōng qì
的阳光和新鲜的空气。

kě xiǎo lěng shān jí zhe yào zhǎng dà
2. 可小冷杉急着要长大，
yì diǎn yě bù lǐ cǎi wēn nuǎn de tài
一点也不理睬温暖的太
yáng hé xīn xiān de kōng qì
阳和新鲜的空气。

nóng jiā hái zi shuō　　　zhè gè xiǎo
3. 农家孩子说："这个小
dōng xi duō kě ài a　　　kě xiǎo
东西多可爱啊！"可小
lěng shān yì diǎn yě bú yuàn tīng zhè huà
冷杉一点也不愿听这话。

世界童话名著 安徒生童话
彩图注音版

4. 一个冬天，伐木工人砍下几株大树，砍光树枝，用马车拉出树林。

5. 春天，小冷杉问燕子和鹳鸟："那些大树被拖到什么地方去了？"

6. 鹳鸟说："海船上有许多美丽的桅杆，我想它们就是那些树吧！"

7. 小冷杉想：海是什么样儿呢？我多希望再长大些，去大海航行呀！

世界童话名著 安徒生童话 彩图注音版

8. 太阳光劝告它说："珍惜你蓬勃生长的生命力吧！"可小冷杉不懂。

9. 圣诞节到了，许多年轻的树被砍掉了，连枝叶运出了树林。

10. 小冷杉问麻雀："它们被送到什么地方去了呢？"

225

安徒生童话

一株冷杉

11. 麻雀说：“他们在一个温暖的房子里，身上挂着吃的、玩的！”

12. “啊，也许有一天我也会打扮得那么漂亮！”小冷杉高兴地说。

13. 终于有一天，斧头深深地砍进小冷杉的树干里。他昏倒在地。

14. 醒来时，他发现自己站在大客厅里，身上挂满玩具、水果和蜡烛。

15. 晚上，蜡烛亮了，孩子们围着小冷杉跳舞，取走礼物。

16. 一个小胖子讲起故事来：泥巴球滚下楼梯，却得到了公主……

17. 小冷杉想：也许我滚下楼梯时，也会得到一位公主。

世界童话名著 安徒生童话 彩图注音版

227

18. 第二天早晨，仆人们把它拖出屋子，放在楼顶上黑暗的角落里。

19. 不知过了多少天，也没人来理它。他想：树林里一定很热闹吧！

20. 几只小老鼠吱吱地跑来，小冷杉告诉他们，自己是从森林里来的。

21. 他给小老鼠们讲森林里的故事。小老鼠们说："你曾经多么幸福！"

22. 小冷杉一遍一遍地讲同一个故事。小老鼠们
听腻了，都走了。

23. 小冷杉叹口气说："等
人们把我搬出去时，我
要记住什么叫快乐！"

24. 一天早晨，仆人们来
收拾楼顶，小冷杉被粗
暴地扔到院子里。

世界童话名著 安徒生童话 彩图注音版

25. huā er kāi le yàn zi fēi lai
花 儿 开 了 ， 燕 子 飞 来
fēi qu xiǎo lěng shān shuō wǒ
飞 去 。 小 冷 杉 说 ： " 我
yào chóng xīn kāi shǐ shēng huó le
要 重 新 开 始 生 活 了 ！ "

26. yí ge xiǎo hái hū rán pǎo guo
一 个 小 孩 忽 然 跑 过
lai zhāi xia lěng shān dǐng shang de yín
来 ， 摘 下 冷 杉 顶 上 的 银
xīng xing guà zài xiōng qián
星 星 ， 挂 在 胸 前 。

27. pú rén lái le bǎ xiǎo lěng shān
仆 人 来 了 ， 把 小 冷 杉
kǎn chéng suì piàn sāi jìn dà guō dǐ
砍 成 碎 片 ， 塞 进 大 锅 底
xia huǒ xióng xióng de shāo qi lai
下 ， 火 熊 熊 地 烧 起 来 。

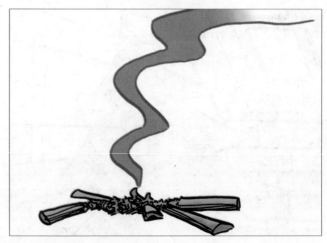

28. kě lián de xiǎo lěng shān shuō wǒ
可 怜 的 小 冷 杉 说 ： " 我
zài xìng fú de shí hou què bù dǒng
在 幸 福 的 时 候 ， 却 不 懂
de zhēn xī ài wán le
得 珍 惜 。 唉 ， 完 了 ！ "

tiào gāo jìng sài
跳高竞赛

世界童话名著 安徒生童话 彩图注音版

1. tiào zao zhà měng hé yì zhī wán jù tiào é yào bǐ sài tiào gāo, xǔ
   跳蚤、蚱蜢和一只玩具跳鹅要比赛跳高，许
   duō rén dōu lái kàn tā men bǐ sài
   多人都来看他们比赛。

2. guó wáng yě dài zhe gōng zhǔ gǎn lái
   国王也带着公主赶来
   le guó wáng shuō shuí tiào de
   了。国王说："谁跳得
   zuì gāo wǒ jiù bǎ gōng zhǔ jià gěi tā
   最高，我就把公主嫁给他！"

3. tiào zao fèn lì yí tiào tiào de
   跳蚤奋力一跳，跳得
   yòu kuài yòu gāo kě xī guó wáng méi
   又快又高，可惜国王没
   yǒu kàn qīng chu
   有看清楚。

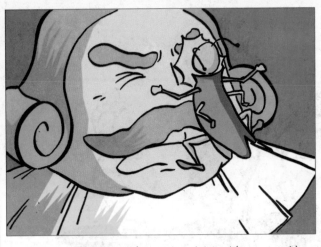

4. 当蚱蜢跳起来时，翅
dāng zhà měng tiào qi lai shí chì
膀碰到了国王的脸。国
bǎng pèng dào le guó wáng de liǎn guó
王很生气，把他撵走了。
wáng hěn shēng qì bǎ tā niǎn zǒu le

5. 跳鹅愣了一下，才开
tiào é lèng le yí xià cái kāi
始跳，跳到了公主的膝
shǐ tiào tiào dào le gōng zhǔ de xī
盖上。
gài shang

6. 国王说："跳鹅跳到了
guó wáng shuō tiào é tiào dào le
公主的身上，跳得真高
gōng zhǔ de shēn shang tiào de zhēn gāo
啊！跳鹅赢了！"
a tiào é yíng le

7. 跳鹅虽然跳得不高，
tiào é suī rán tiào de bù gāo
但在跳高时运用了智慧，
dàn zài tiào gāo shí yùn yòng le zhì huì
所以最终赢得了公主。
suǒ yǐ zuì zhōng yíng dé le gōng zhǔ

xiǎo yì dá de huā er
小意达的花儿

世界童话名著 **安徒生童话**
彩图注音版

1. xiǎo yì dá yǎng le xǔ duō měi lì de huā er zhè tiān qīng chén, tā
1. 小意达养了许多美丽的花儿。这天清晨，她
fā xiàn huā er de yè zi kū wěi le
发现花儿的叶子枯萎了。

2. xiǎo yì dá de yí wèi nán tóng xué
2. 小意达的一位男同学
lái wán, tā jiù wèn tā: "huā er
来玩，她就问他："花儿
wèi shén me zhè yàng méi jīng shen ne
为什么这样没精神呢？"

3. "huā er zuó yè cān jiā le ge
3. "花儿昨夜参加了个
wǔ huì。" nán tóng xué shuō, "yīn
舞会。"男同学说，"因
cǐ tā men jīn tiān chuí xia le tóu。"
此它们今天垂下了头。"

233

4. 男同学说，天一黑，花儿们就偷跑到城外的宫殿里举办盛大的舞会。

5. 一位官员恰巧来拜访，他对男同学说："你讲的全是没道理的幻想！"

6. 小意达却觉得男同学讲的事很有趣。她多想看花儿们跳舞啊！

7. 晚上，她把花儿们搬到玩具屋里，让她们睡在玩偶苏菲亚的床上。

8. sū fēi yà bù qíng yuàn de pá dào
苏菲亚不情愿地爬到
chōu tì li qù le xiǎo yì dá yòng
抽屉里去了。小意达用
xiǎo bèi zi bǎ huā er men gài hǎo
小被子把花儿们盖好。

9. tā duì huā er shuō wǒ zhī
她对花儿说:"我知
dào jīn wǎn nǐ men yào cān jiā wǔ
道今晚你们要参加舞
huì huā er men yí dòng yě bú dòng
会。"花儿们一动也不动。

世界童话名著 安徒生童话 彩图注音版

10. shēn yè xiǎo yì dá tīng jian wán jù wū chuán lai gāng qín shēng ā
深夜,小意达听见玩具屋传来钢琴声,啊,
huā er men yí dìng zài tiào wǔ ne
花儿们一定在跳舞呢!

11. 她走到玩具屋前，偷偷朝里望。啊，那些花儿真的在跳舞！

12. 各种花儿快乐地跳着舞，一朵百合花正在为大伙演奏舞曲哩！

13. 这时，一个小蜡人骑着桦木条从桌上跳下来，跳进花群中间。

14. 小蜡人忽然变得又高又大，凶狠地向花儿们扑过来。

15. huā er men zài tā tuǐ shàng zhòng zhòng dǎ le yí xià tā suō chéng yì tuán
花儿们在他腿上重重打了一下，他缩成一团，
yòu biàn chéng le xiǎo là rén
又变成了小蜡人。

16. wán ǒu sū fēi yà cóng chōu tì li
玩偶苏菲亚从抽屉里
pá chū lai jīng yà de shuō zhè
爬出来，惊讶地说："这
er yǒu yí ge wǔ huì
儿有一个舞会！"

17. sǎo yān cōng de cí wá wa pǎo guo
扫烟囱的瓷娃娃跑过
lai yāo qǐng tā lǐ cǎi tā kě shì
来，邀请她理睬他。可是
sū fēi yà bù tiào wǔ
苏菲亚不跳舞。

18。苏菲亚坐在抽屉里，
等着花儿们来请她跳
舞，可是什么花儿也没来。

19。她故意从抽屉上掉下
来，一直落到地板上，
弄出很大的响声。

20。花儿们赶紧跑过来，
问她是不是跌伤了。还
好，苏菲亚没受伤。

21.花儿们把苏菲亚捧到
地板中间，和她一起跳
起舞来。

22. 花儿们说:"明天我们就要死了,如果埋在花园里,春天就会复活。"

23. 客厅的门忽然开了,城外宫殿里的那些花儿起来跳舞了!

24. 一会儿,又有许多花儿赶来。它们跳着舞,舞会更加热闹!

25. 天快亮了，花儿们互
相道别分手了。小意达
也跑回房间睡觉了。

26. 小意达一起床就跑去
看那些花儿，它们比昨
天更加枯萎了。

27. 小意达把死了的花儿
装进小纸盒，然后在花
园里掘了一个小坑。

28. 她吻过花儿们，把它
们埋进坑里。明年春天
花儿们会长得更美。

chú jú
雏 菊

1. 花园外边的草丛里，一棵雏菊盛开着，发出
阵阵甜甜的香气。

2. 因为它生在草丛里，所以人们只把它当做一
朵小野花。

3. 雏菊却觉得非常快乐，它想：太阳照着我，风
儿吻着我，我真幸运！

世界童话名著
安徒生童话
彩图注音版

241

雏菊

4. huā yuán li zhǎng zhe xǔ duō míng huā
花园里长着许多名花，
yǒu méi gui 、 yù jīn xiāng ， xiāng qì
有玫瑰、郁金香，香气
hěn nóng ， què fēi cháng jiāo ào
很浓，却非常骄傲。

5. tā men bù lǐ cǎi chú jú ， chú
它们不理睬雏菊，雏
jú què zǒng wàng zhe tā men ， xīn xiǎng ，
菊却总望着它们，心想，
niǎo er yí dìng huì fēi xiàng tā men ！
鸟儿一定会飞向它们！

6. hū rán ， yì zhī bǎi líng niǎo fēi
忽然，一只百灵鸟飞
dào tā shēn biān ， chàng dào ： "zhè shì
到它身边，唱道："这是
yì duǒ tián mì de xiǎo huā ……"
一朵甜蜜的小花……"

7. chú jú tīng le duō kāi xīn ya ！
雏菊听了多开心呀！
kě méi gui hé yù jīn xiāng dōu bǎn zhe
可玫瑰和郁金香都板着
liǎn ， xiǎn de hěn bù gāo xìng 。
脸，显得很不高兴。

8. 一个小女孩拿着剪刀走来，把郁金香一棵棵
都剪掉了。

9. 雏菊感到很幸运，幸亏自己生在草丛里的小野花。

10. 第二天早晨，雏菊听见百灵鸟在哀啼。原来它被人捉进了鸟笼。

11. 雏菊多想帮助可怜的百灵鸟啊，但它一点办法也没有。

12. 两个小男孩把雏菊和周围的草皮挖出来，一起送到鸟笼旁。

13. 百灵鸟正在啼哭，雏菊想安慰它，却又不知说什么才好。

14. 百灵鸟说："没有水喝，我要死了！我要离开太阳和绿草了！"

15. 它把嘴伸进清凉的草
皮里，希望尝到一点凉
味。它发现了雏菊。

16. 它吻了吻雏菊，说道：
"你的每一片花瓣就是
一朵芬芳的花儿！"

17. 雏菊想安慰它，但动
弹不了，只好拼命地发
出甜甜的香气。

世界童话名著 安徒生童话 彩图注音版

18. 百灵鸟感觉到了，不
过它只啄草叶，不愿碰
坏这朵美丽的雏菊。

19. 第二天早晨，两个小孩发现百灵鸟死了，悲伤地哭了起来。
dì èr tiān zǎo chen ， liǎng ge xiǎo hái fā xiàn bǎi líng niǎo sǐ le ， bēi shāng de kū le qǐ lái 。

20. 他们为百灵鸟掘了一个小坟墓，然后为它举行了隆重的葬礼。
tā men wèi bǎi líng niǎo jué le yí ge xiǎo fén mù ， rán hòu wèi tā jǔ xíng le lóng zhòng de zàng lǐ 。

21. 雏菊被扔到路边。最关心、最愿意安慰百灵鸟的正是这朵小野花。
chú jú bèi rēng dào lù biān 。 zuì guān xīn 、 zuì yuàn yì ān wèi bǎi líng niǎo de zhèng shì zhè duǒ xiǎo yě huā 。

dòu jiá li de wǔ lì wān dòu
豆荚里的五粒豌豆

世界童话名著 安徒生童话 彩图注音版

dòu jiá li zhǎng zhe wǔ lì wān dòu   tā men zuò chéng yì pái   zài yáng guāng
1. 豆荚里长着五粒豌豆，它们坐成一排，在阳光
de zhào yào xia bú duàn shēngzhǎng
的照耀下不断生长。

wān dòu lì men yuè zhǎng yuè dà
2. 豌豆粒们越长越大，
tā men bù xiǎng yǒng yuǎn dāi zài dòu jiá li
它们不想永远呆在豆荚里。

xǔ duō tiān guò qu   dòu jiá biàn
3. 许多天过去，豆荚变
huáng le   wān dòu yě biàn huáng le
黄了，豌豆也变黄了。
tā men shuō   shì jiè dōu biàn huáng la
它们说："世界都变黄啦！"

4. 一天，豌豆觉得豆荚
zhèn dòng le yí xià   yuán lái dòu jiá
震 动 了 一 下 。 原 来 豆 荚
bèi zhāi xia lai fàng jìn le kǒu dai
被 摘 下 来 放 进 了 口 袋 。

5. 它们说："我们不久就
yào cóng dòu jiá li chū lai le
要 从 豆 荚 里 出 来 了 ！"
tā men nài xīn de děng zhe
它 们 耐 心 地 等 着 。

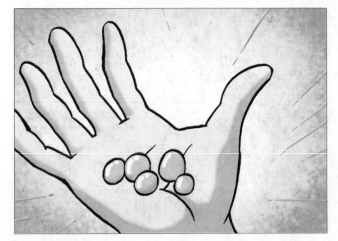

6. 最小的豆子问谁会走
de zuì yuǎn   gāi zěn me bàn jiù zěn
得 最 远 。 "该 怎 么 办 就 怎
me bàn   zuì dà de dòu zi dá dào
么 办 ！" 最 大 的 豆 子 答 道 。

7. 豆荚裂开了，一个小
nán hái bǎ zhè wǔ lì wān dòu dàng zuò
男 孩 把 这 五 粒 豌 豆 当 做
dòu qiāng de zǐ dàn
豆 枪 的 子 弹 。

8. xiǎo nán hái wǎng dòu qiāng li ān shang yí lì dòu，rán hòu bǎ tā shè le chū qù。
　　小　男　孩　往　豆　枪　里　安　上　一　粒　豆　，然　后　把　它　射　了
出　去　。

9. "wǒ yào fēi dào guǎng dà de shì jiè li qù le！" nà lì wān dòu biān fēi biān shuō。
　"我　要　飞　到　广　大　的　世
界　里　去　了！"　那　粒　豌　豆
边　飞　边　说　。

10. dì èr lì wān dòu yě bèi shè chu le。tā zài kōng zhōng jiào dào："wǒ yào fēi jìn tài yáng li qù！"
　　第　二　粒　豌　豆　也　被　射　出
了　。它　在　空　中　叫　道：　"我
要　飞　进　太　阳　里　去！"

11. "我们飞到哪里，就在哪里安家！"其余的两粒豌豆也被射走了。

12. 最后那粒豌豆到了顶楼的窗下，被青苔裹起来。

13. 顶楼住着一位贫苦的母亲，她的小女儿得了重病整整一年了。

14. 小女孩的病看样子是治不好了。母亲伤心地说："她要离开我了！"

15. 一天早晨，小女孩忽然叫道："妈妈，窗外那个绿东西是什么呀？"

16. 母亲打开窗子一看，啊，原来是小豌豆，它还长出小叶子来了。

17. 小女孩请母亲把床搬到窗旁，这样她就能好好欣赏这棵豌豆了。

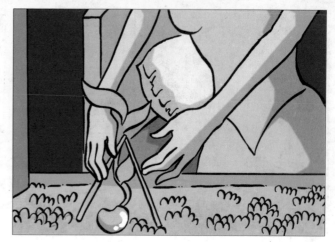

18. 小女孩说："我的病会好的，我将和这粒豆子一起走到太阳光里。"

19. 母亲并不相信，不过她还是用小木棍支起豌豆，不让它被风吹断。

20. 豌豆不断生长，开了朵粉红色的花。小女孩的精神也比以前好多了。

21. 一星期后，小女孩的病果真好了。母亲感到很惊讶。

22. <ruby>早<rt>zǎo</rt></ruby><ruby>晨<rt>chen</rt></ruby>，<ruby>小<rt>xiǎo</rt></ruby><ruby>女<rt>nǔ</rt></ruby><ruby>孩<rt>hái</rt></ruby><ruby>打<rt>dǎ</rt></ruby><ruby>开<rt>kāi</rt></ruby><ruby>窗<rt>chuāng</rt></ruby><ruby>子<rt>zi</rt></ruby>，<ruby>坐<rt>zuò</rt></ruby><ruby>在<rt>zài</rt></ruby><ruby>阳<rt>yáng</rt></ruby><ruby>光<rt>guāng</rt></ruby><ruby>里<rt>li</rt></ruby>，<ruby>就<rt>jiù</rt></ruby><ruby>会<rt>huì</rt></ruby><ruby>轻<rt>qīng</rt></ruby><ruby>轻<rt>qīng</rt></ruby><ruby>吻<rt>wěn</rt></ruby><ruby>着<rt>zhe</rt></ruby><ruby>豌<rt>wān</rt></ruby><ruby>豆<rt>dòu</rt></ruby><ruby>花<rt>huā</rt></ruby>。

23. "<ruby>这<rt>zhè</rt></ruby><ruby>粒<rt>lì</rt></ruby><ruby>豌<rt>wān</rt></ruby><ruby>豆<rt>dòu</rt></ruby><ruby>是<rt>shì</rt></ruby><ruby>上<rt>shàng</rt></ruby><ruby>帝<rt>dì</rt></ruby><ruby>种<rt>zhòng</rt></ruby><ruby>下<rt>xia</rt></ruby><ruby>的<rt>de</rt></ruby>。"<ruby>母<rt>mǔ</rt></ruby><ruby>亲<rt>qīn</rt></ruby><ruby>对<rt>duì</rt></ruby><ruby>花<rt>huā</rt></ruby><ruby>儿<rt>er</rt></ruby><ruby>微<rt>wēi</rt></ruby><ruby>笑<rt>xiào</rt></ruby><ruby>着<rt>zhe</rt></ruby><ruby>说<rt>shuō</rt></ruby>。

24. <ruby>其<rt>qí</rt></ruby><ruby>余<rt>yú</rt></ruby><ruby>那<rt>nà</rt></ruby><ruby>几<rt>jǐ</rt></ruby><ruby>粒<rt>lì</rt></ruby><ruby>豌<rt>wān</rt></ruby><ruby>豆<rt>dòu</rt></ruby><ruby>呢<rt>ne</rt></ruby>？<ruby>有<rt>yǒu</rt></ruby><ruby>一<rt>yí</rt></ruby><ruby>粒<rt>lì</rt></ruby><ruby>被<rt>bèi</rt></ruby><ruby>一<rt>yì</rt></ruby><ruby>只<rt>zhī</rt></ruby><ruby>鸽<rt>gē</rt></ruby><ruby>子<rt>zi</rt></ruby><ruby>吞<rt>tūn</rt></ruby><ruby>进<rt>jìn</rt></ruby><ruby>肚<rt>dù</rt></ruby><ruby>子<rt>zi</rt></ruby><ruby>里<rt>li</rt></ruby>。

25. 有两粒豌豆也被一只鸽子吞进肚子里。没飞出去，多远，

26. 还有一粒豌豆落进水沟里，被脏水胀得又肥又大。

27. "我真胖！"它自豪地说，"我是五粒豆子中最了不起的。"

28. 此时，顶楼的小女孩正把小手合在那朵豌豆花上，向上帝祈祷哩！

cǎi zhe miàn bāo zǒu de nǚ hái
踩着面包走的女孩

cóng qián yǒu ge qióng hái zi jiào yīng gé ěr， tā yòu lǎn duò yòu ài xū
1. 从前有个穷孩子叫英格尔，她又懒惰又爱虚
róng bú yuàn chī kǔ shòu lèi
荣，不愿吃苦受累。

yīng gé ěr zhǎng dà le biàn de
2. 英格尔长大了，变得
gèng jiā jiāo ào hé rèn xìng lián tā
更加骄傲和任性，连她
de lǎo mǔ qīn yě guǎn bù liǎo tā
的老母亲也管不了她。

hòu lái tā gěi yí hù yǒu qián rén tā
3. 后来她给一户有钱人她
jiā dāng yōng rén tā jiù gèng jiā fàng sì
家当佣人，她就更加放肆。
hěn hǎo nǚ rén zhǔ rén dài
很好，女人主人待

255

4. yì nián guò qu　　nǚ zhǔ rén gěi
一年过去，女主人给
yīng gé ěr yì tiáo cháng miàn bāo　jiào
英格尔一条长面包，叫
tā sòng gěi mǔ qīn
她送给母亲。

5. yīng gé ěr chuānshang xīn yī fu hé
英格尔穿上新衣服和
xīn xié zi chū mén le　tā pà nòng
新鞋子出门了，她怕弄
zāng yī xié　xiǎo xīn yì yì de zǒu
脏衣鞋，小心翼翼地走。

6. ā　qián mian shì yí piàn zhǎo zé
啊，前面是一片沼泽
dì　lǐ miàn quán shì ní bā　tā
地，里面全是泥巴，她
xiǎng nòng zāng le xīn xié zěn me bàn
想，弄脏了新鞋怎么办？

7. yīng gé ěr yǒu le zhǔ yi　tā
英格尔有了主意。她
bǎ cháng tiáo miàn bāo rēng zài ní bā shang
把长条面包扔在泥巴上，
xiǎng cǎi zhe miàn bāo zǒu guo qu
想踩着面包走过去。

8. shuí zhī yì jiǎo hái méi cǎi wěn,
谁 知 一 脚 还 没 踩 稳,
miàn bāo jiù chén le xià qù, yīng gé
面 包 就 沉 了 下 去, 英 格
ěr yě màn màn xiàn jìn zhǎo zé li
尔 也 慢 慢 陷 进 沼 泽 里。

9. miàn bāo lā zhe yīng gé ěr bú duàn
面 包 拉 着 英 格 尔 不 断
xià chén, yí dào zhuì rù zhǎo zé nǚ
下 沉, 一 道 坠 入 沼 泽 女
wū de jiǔ chǎng li
巫 的 酒 厂 里。

世界童话名著 安徒生童话 彩图注音版

10. yì duī bīng lěng de lài há ma hé tā
一 堆 冰 冷 的 癞 蛤 蟆 和 她
shuǐ shé bǎ tā tuán tuán wéi zhù,
水 蛇 把 她 团 团 围 住,
yí dòng yě bù néng dòng
一 动 也 不 能 动。

11. tā gǎn dào fēi cháng jī è, què
她 感 到 非 常 饥 饿, 却
bù néng wān xià yāo lai chī yì kǒu
不 能 弯 下 腰 来 吃 一 口
cǎi zài jiǎo xià de miàn bāo
踩 在 脚 下 的 面 包。

12. yīng gé ěr shuō： "唉，我怕弄脏新鞋，踩着面包走，
英格尔说："ài wǒ pà nòng zāng xīn xié，cǎi zhe miàn bāo zǒu，
què luò de zhè me ge xià chǎng！"
却落得这么个下场！"

13. zhè shí，yì háng rè lèi luò dào
这时，一行热泪落到
tā tóu shang，màn màn liú xia lai，
她头上，慢慢流下来，
yì zhí liú dào miàn bāo shang。
一直流到面包上。

14. tā tīng jian mǔ qīn kū zhe shuō：
她听见母亲哭着说：
jiāo ào shì nǐ duò luò de gēn yóu。
"骄傲是你堕落的根由。
nǐ ràng mǔ qīn duō me nán guò a！"
你让母亲多么难过啊！"

15. yīng gé ěr tīng le hěn shāng xīn
英 格 尔 听 了 很 伤 心 ，
bú guò tā bìng méi liú lèi tā xiǎng
不 过 她 并 没 流 泪 。 她 想 :
xiàn zài kū yǒu shén me yòng ne
现 在 哭 有 什 么 用 呢 ？

16. tā yòu tīng dào nǚ zhǔ rén de zhǐ
她 又 听 到 女 主 人 的 指
zé bù zhēn xī shàng dì de lǐ
责 : " 不 珍 惜 上 帝 的 礼
wù shì bú huì dé dào kuān shù de
物 , 是 不 会 得 到 宽 恕 的 ！ "

17. tā zǎo diǎn chéng fá wǒ jiù hǎo
" 她 早 点 惩 罚 我 就 好
le yīng gé ěr jué wàng de xiǎng
了 ！ " 英 格 尔 绝 望 地 想 ,
xiàn zài shuí néng jiě jiù wǒ ne
" 现 在 谁 能 解 救 我 呢 ？ "

踩着面包走的女孩

18. 她还听到人们把她的孩
子们讲给孩子们听，
子们都说她可恨。

19. 只有一个小女孩听了
她的故事后哭了，盼望
英格尔早日回来。

20. 那个天真的小女孩还在
为她祈祷，这使英格尔悔恨。
感到痛苦，和

21. 英格尔哭得多伤心啊!
她终于认识到了自己的
过错。

22. 忽然，一丝光线照在她身上。她变成一只灰色小鸟，飞回人间。

23. 这只小鸟感到惭愧，飞进一个黑暗的洞里躲藏起来。

24. 冬天到了，鸟儿们找不到吃的，饿极了。这时，那只灰色小鸟来了。

25. 它四处寻找面包屑，送给别的鸟儿吃，可它自己却吃得很少。

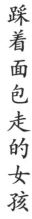

26. 整个冬天，这只小鸟找到的面包屑，比英格尔踩的长条面包还要大。

27. 当它把最后一块面包屑送给鸟儿们时，灰色翅膀变成了白色。

28. 一群孩子看见这只白鸟飞向大海深处，也有人说它飞向了太阳。

cóng qián yǒu yí ge è dú de wáng zǐ　　tā yě xīn bó bó，wàng xiǎng
1. 从 前 有 一 个 恶 毒 的 王 子，他 野 心 勃 勃，妄 想
zhēng fú zhěng ge shì jiè
征 服 整 个 世 界。

wáng zǐ shuài lǐng jūn duì sì chù zhēng
2. 王 子 率 领 军 队 四 处 征
zhàn　　zuì hòu tā shuō　　wǒ yào
战。 最 后 他 说：" 我 要
zhēng fú shàng dì
征 服 上 帝 ！ "

wáng zǐ hé tā de jūn duì jià zhe
3. 王 子 和 他 的 军 队 驾 着
fēi chuán jìn gōng tiān shang de bǎo lěi
飞 船 进 攻 天 上 的 堡 垒。
shàng dì pài yì qún wén zi yíng zhàn
上 帝 派 一 群 蚊 子 迎 战。

世界童话名著 安徒生童话
彩图注音版

4. 蚊子围着王子，刺他的脸和手。王子挥剑还击，可刺不着蚊子。

5. 王子逃进帐篷里。一只小蚊子飞进他的耳朵，一直钻进他脑子里。

6. 王子疼得满地打滚。他撕破衣服，在士兵面前一丝不挂地跳舞。

7. 这个恶毒的王子想向上帝进攻，却被一只小蚊子征服了。

1. yì qún xiǎo lài há ma gēn zhe mā ma tiào jìn hěn shēn de shuǐ jǐng li
一 群 小 癞 蛤 蟆 跟 着 妈 妈 跳 进 很 深 的 水 井 里 ，
dǎ suan zhù xia lai
打 算 住 下 来 。

2. xiǎo qīng wā jī xiào tā men shuō
小 青 蛙 讥 笑 它 们 说 ：
lài há ma mā ma yòu bèn yòu chǒu
" 癞 蛤 蟆 妈 妈 又 笨 又 丑 ，
tā de hái zi men shì chǒu bā guài
它 的 孩 子 们 是 丑 八 怪 。"

3. lài há ma mā ma ān wèi tā men
癞 蛤 蟆 妈 妈 安 慰 它 们
shuō hái zi men nǐ men zhōng de
说 ： " 孩 子 们 ， 你 们 中 的
yí ge tóu shang xiāng zhe yì kē bǎo shí
一 个 头 上 镶 着 一 颗 宝 石 。"

世界童话名著

安徒生童话

彩图注音版

4. xiǎo lài há ma men dōu rèn wéi zì
小 癞 蛤 蟆 们 都 认 为 自
jǐ tóu shang yǒu nà kē bǎo shí yú
己 头 上 有 那 颗 宝 石 ， 于
shì dōu jiāo ào de áng qǐ tóu
是 都 骄 傲 地 昂 起 头 。

5. " wǒ bú huì yǒu bǎo shí 。 " zuì
" 我 不 会 有 宝 石 。 " 最
xiǎo zuì chǒu de lài há ma shuō wǒ
小 最 丑 的 癞 蛤 蟆 说 ， " 我
zhǐ xiǎng kàn kan wài mian de shì jiè
只 想 看 看 外 面 的 世 界 。 "

6. " lǎo shi dāi zài zhè er ba ! "
" 老 实 呆 在 这 儿 吧 ！ "
lài há ma mā ma shuō jǐng biān
癞 蛤 蟆 妈 妈 说 ， " 井 边
de shuǐ tǒng huì bǎ nǐ yā suì de !
的 水 桶 会 把 你 压 碎 的 ！ "

7. xiǎo lài há ma xià de bù gǎn shuō
小 癞 蛤 蟆 吓 得 不 敢 说
huà le bú guò tā réng kě wàng pǎo
话 了 。 不 过 它 仍 渴 望 跑
dào jǐng shàng qù
到 井 上 去 。

9. 打水的人发现了它，
骂道："呸！这小东西真
丑！"把它踢进草丛。

dǎ shuǐ de rén fā xiàn le tā
mà dào：pēi zhè xiǎo dōng xi zhēn
chǒu bǎ tā tī jìn cǎo cóng

10. 小癞蛤蟆看看四周，
说："这儿比井里漂亮多
了！"它还想跑得更远些。

xiǎo lài há ma kàn kan sì zhōu
shuō zhè er bǐ jǐng li piāo liang duō
le tā hái xiǎng pǎo de gèng yuǎn xiē

8. 第二天，小癞蛤蟆跳
进下来打水的水桶里，
随水桶被拉了上去。

dì èr tiān xiǎo lài há ma tiào
jìn xià lai dǎ shuǐ de shuǐ tǒng li
suí shuǐ tǒng bèi lā le shàng qù

世界童话名著 安徒生童话 彩图注音版

11. tā zài huā yuán li kàn dào yì zhī
它 在 花 园 里 看 到 一 只
hú dié xiàn mù de shuō   wǒ yào
蝴 蝶，羡 慕 地 说："我 要
shì néng fēi gāi duō hǎo a
是 能 飞 该 多 好 啊！"

12. yuè liang shēngshang lai le   tā wàng
月 亮 升 上 来 了。它 望
zhe yuè liang xiǎng   wǒ kě yǐ tiào jin
着 月 亮 想：我 可 以 跳 进
qu   pá de gèng gāo yì diǎn ma
去，爬 得 更 高 一 点 吗？

13. tā pá jìn cài yuán li   fā xiàn
它 爬 进 菜 园 里，发 现
mǔ jī zhèng zài zhuó bái cài yè shang de
母 鸡 正 在 啄 白 菜 叶 上 的
máo mao chóng
毛 毛 虫。

14. xiǎo lài há ma gāo gāo de tiào le
小 癞 蛤 蟆 高 高 地 跳 了
yí xià   bǎ mǔ jī xià pǎo le
一 下，把 母 鸡 吓 跑 了。

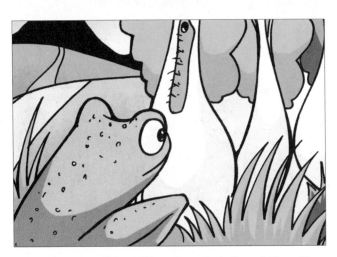

15. 毛毛虫费力地向白菜
叶爬去，边爬边说：" 我
得爬上去！"

16. " 它的想法和我一样。"
小癩蛤蟆抬起头，" 我
们大家都要向上！"

17. 它看见一窝鹳鸟坐在
农舍的屋顶上，正叽里
咕噜讲着什么。

18. " 他们住得多高呀！"
小癩蛤蟆说，" 我希望
自己也能爬那么高！"

世界童话名著
安徒生童话
彩图注音版

269

19. shī rén hé dòng wù xué jiā cóng nóng
诗人和动物学家从农
shè zǒu chu lai fā xiàn le xiǎo lài
舍走出来，发现了小癩
há ma ma
蛤蟆。

20. shī rén shuō tīng shuō zuì chǒu
诗人说："听说最丑
de lài há ma tóu shang yǒu yì kē bǎo
的癩蛤蟆头上有一颗宝
shí tā de tóu shang yǒu ma
石，它的头上有吗？"

21. dòng wù xué jiā shuō rú guǒ
动物学家说："如果
nǐ néng zhǎo chū bǎo shí lai wǒ jiù
你能找出宝石来，我就
bāng nǐ bǎ tā pōu kai
帮你把它剖开。"

22. xiǎo lài há ma shuō xìng kuī
小癩蛤蟆说："幸亏
wǒ tóu shang méi yǒu bǎo shí bù rán
我头上没有宝石，不然
wǒ jiù méi mìng le
我就没命了！"

23. guàn niǎo wō li yòu chuán lai shēng
鹳鸟窝里又传来声
yīn yuán lái guàn niǎo mā ma zhèng
音。原来，鹳鸟妈妈正
zài jiǎng guān yú wài guó de gù shi
在讲关于外国的故事。

24. "我也到外国去!" 小
wǒ yě dào wài guó qù xiǎo
lài há ma shuō xīn zhōng de kě
癞蛤蟆说，"心中的渴
wàng bǐ bǎo shí yào hǎo de duō
望比宝石要好得多!"

25. shì de xiǎo lài há ma tóu shang
是的，小癞蛤蟆头上
jiù cáng zhe yì kē bǎo shí tā dài
就藏着一颗宝石，它代
biǎo zhe kě wàng hé xī wàng
表着渴望和希望。

癞蛤蟆

世界童话名著 安徒生童话

彩图注音版

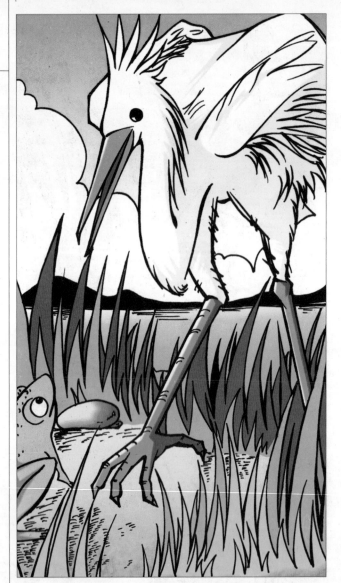

27. xiǎo lài há ma yǐ wéi zhèng cháo wài
小 癞 蛤 蟆 以 为 正 朝 外
guó fēi ne dàn shì guàn niǎo bǎ xiǎo
国 飞 呢 ！ 但 是 鹳 鸟 把 小
lài há ma qiā sǐ le
癞 蛤 蟆 掐 死 了 。

26. tiān liàng le guàn niǎo bà ba fā
天 亮 了 ， 鹳 鸟 爸 爸 发
xiàn le xiǎo lài há ma tā dài zhe
现 了 小 癞 蛤 蟆 ， 它 带 着
xiǎo lài há ma fēi shàng tiān kōng
小 癞 蛤 蟆 飞 上 天 空 。

28. tā tóu shang de bǎo shí nǎ er qù
它 头 上 的 宝 石 哪 儿 去
le yǒu rén shuō bèi tài yáng xī qu
了 ？ 有 人 说 被 太 阳 吸 去
le shuí yě bù gǎn qù xún zhǎo
了 ， 谁 也 不 敢 去 寻 找 。

lǎo fáng zi
老 房 子

世界童话名著 安徒生童话 彩图注音版

1.
yí zhuàng pò jiù de lǎo fáng zi li zhù zhe yí wèi gū dú de lǎo rén
一 幢 破 旧 的 老 房 子 里 住 着 一 位 孤 独 的 老 人 ，
zhǐ yǒu lǎo pú rén péi bàn zhe tā
只 有 老 仆 人 陪 伴 着 他 。

2.
duì miàn xīn fáng zi li de xiǎo nán
对 面 新 房 子 里 的 小 男
hái hěn xǐ huan lǎo fáng zi jīng cháng
孩 很 喜 欢 老 房 子 ， 经 常
zuò zài chuāngpáng dǎ liang zhe tā
坐 在 窗 旁 打 量 着 它 。

3.
yì tiān nán hái hái yòng zhǐ bāo le
一 天 ， 男 孩 用 纸 包 了
ge xī bīng lái dào lǎo fáng zi qián
个 锡 兵 来 到 老 房 子 前 ，
qǐng lǎo pú rén jiāo gěi lǎo rén
请 老 仆 人 交 给 老 人 。

4. yí huì er lǎo pú rén chū lai le
一会儿老仆人出来了，
shuō nà wèi lǎo rén yāo qǐng xiǎo nán hái
说那位老人邀请小男孩
dào lǎo fáng zi li wán yi wán
到老房子里玩一玩。

5. dà mén shang kè zhe de hào shǒu yì
大门上刻着的号手一
qǐ chuī xiǎng lǎ ba xiǎo péng yǒu
起吹响喇叭："小朋友
lái le mén zì dòng kāi le
来了！"门自动开了。

6. zǒu láng li guà zhe xǔ duō huà xiàng
走廊里挂着许多画像，
yǒu qí shì yǒu xiān nǚ tā men
有骑士、有仙女，他们
de yī fu dōu xī sū zhí xiǎng
的衣服都悉悉直响。

7. xiǎo nán hái zǒu jìn yì jiān fáng zi
小男孩走进一间房子，
zhè er de qiáng hú mǎn zhū pí shàng
这儿的墙糊满猪皮，上
mian yìn zhe měi lì de jīn huā
面印着美丽的金花。

世界童话名著 安徒生童话 彩图注音版

8. 老人来了，对小男孩说："多谢你送给我锡兵，多谢你来看我！"

9. 墙中央挂着一个美女的画像，她正用温柔的目光望着小男孩。

10. 老人告诉小男孩，美女画上已经死了，不过年多他认识她好的去多了。

11. 小男孩玩了一会儿，问老人："我听人说，你一直是非常孤独的！"

12. 老人说："旧时的回忆常来拜访我，你也来拜访了，我感到快乐！"

13. 老人出去拿水果时，锡兵对小男孩说："这儿太寂寞，我受不了啦！"

14. "你要忍受下去！"小男孩说。这时老人端着一盘水果走来了。

15. 许多天后，小男孩又来拜访老人。那个锡兵
对他说："我要逃走！"

16. 小男孩劝锡兵安下心
来。可锡兵已下决心
要离开老人。

17. 这时，老人坐在一架一
边哼起动听的歌。钢琴前，一边弹琴，

18. 他深情地望着那幅画
上的美女说：" 她曾和
我一起唱过这支歌！"

19. "我要到战场上去！"
锡兵忽然大叫一声，从
桌子上栽下来。

20. 老人和小男孩找了很
久，也没找到他。锡兵
就这样失踪了。

21. 不久，老人病死了。
人们把他放进棺材里，
运到墓地埋葬了。

22. 人们拆掉老房子，在边上盖了幢新房子，老房子变成了小花园。

世界童话名著

安徒生童话

彩图注音版

23. 许多年过去，小男孩娶了妻子，搬进了那幢有小花园的房子里。

24. 一天，他陪妻子去花园散步，发现了那个失踪多年的锡兵。

25. 年轻人高兴极了！他对妻子讲起老房子、老人和锡兵的故事。

26. 妻子听了很感动，流出了泪水。她说："那个老人多么孤独啊！"

27. 锡兵说："那个老人是很孤独，不过他没被人忘掉，这真叫人高兴！"

28. 这时，泥土里的一块猪皮说："猪皮永远不坏！"锡兵却不信。

shén fāng
神方

世界童话名著 安徒生童话 彩图注音版

wáng zǐ hé gōng zhǔ shí fēn xìng fú　　kě tā men bù mǎn zú　　xiǎng dé dào
1. 王子和公主十分幸福，可他们不满足，想得到
yǒng yuǎn xìng fú de　　shén fāng
永远幸福的"神方"。

tā men duì sēn lín li de zhì zhě
2. 他们对森林里的智者
sù shuō le xīn yuàn　xī wàng tā néng
诉说了心愿，希望他能
cì gěi tā men　　shén fāng
赐给他们"神方"。

zhì zhě shuō　　zhǐ yào cóng yí duì
3. 智者说，只要从一对
xìng fú fū qī de nèi yī shang sī xià
幸福夫妻的内衣上撕下
bù piàn jiù néng dé dào　shén fāng
布片，就能得到"神方"。

4. wáng zǐ hé gōng zhǔ tīng shuō qí shì
王 子 和 公 主 听 说 骑 士
hé qī zi hěn xìng fú jiù qù wèn
和 妻 子 很 幸 福 , 就 去 问
tā men shì fǒu wán quán xìng fú
他 们 是 否 完 全 幸 福 。

5. qí shì yáo zhe tóu shuō bù
骑 士 摇 着 头 说 : " 不 ,
wǒ men wéi yī de yí hàn shì zhì
我 们 惟 一 的 遗 憾 是 , 至
jīn méi yǒu yí ge hái zi
今 没 有 一 个 孩 子 。 "

6. wáng zǐ hé gōng zhǔ yòu zhǎo dào yí
王 子 和 公 主 又 找 到 一
wèi shì mín hé qī zi wèn tā men
位 市 民 和 妻 子 , 问 他 们
shì fǒu zhēn zhèng xìng fú
是 否 真 正 幸 福 。

7. shì mín shuō wǒ men de hái zi
市 民 说 : " 我 们 的 孩 子
tài duō le gěi wǒ men tiān le xǔ
太 多 了 , 给 我 们 添 了 许
duō kǔ nǎo
多 苦 恼 ! "

8. wáng zǐ hé gōng zhǔ méi zhǎo dào shén fāng, tā men bìng bù shī wàng, dào
   王子和公主没找到神方，他们并不失望，到
   gèng yuǎn de dì fang qù xún zhǎo
   更远的地方去寻找。

9.   yì tiān,   tā men jiàn dào yí ge
   一天，他们见到一个
   mù yáng rén, tā zhèng hé qī zi hé
   牧羊人，他正和妻子和
   liǎng ge hái zi yì qǐ wán shuǎ
   两个孩子一起玩耍。

10. wáng zǐ hé gōng zhǔ wèn tā men
    王子和公主问他们：
    nǐ men shì shì shang zuì xìng fú、
    "你们是世上最幸福、
    zuì mǎn zú de fū qī ma
    最满足的夫妻吗？"

世界童话名著 安徒生童话 彩图注音版

11. 牧羊人点了点头。王
子和公主请求他撕下一
片内衣送给他们。

12. 牧羊人和妻子说："我
们连一件破烂的内衣都
没有呀！"

13. 王子和公主只好回到智者那儿，把他们寻找
"神方"的经过告诉他。智者说："难道你们
不明白吗？满足就是永远幸福的'神方'啊！"

zhú
烛

1. yí hù fù rén jiā wǎn shang yào jǔ bàn wǔ huì cū là zhú shuō wǒ
   一户富人家晚上要举办舞会。粗蜡烛说:"我
   jiāng bèi chā zài yín zhú tái shang
   将被插在银烛台上。"

2. zhuō shang hái yǒu yì zhī niú yóu zhú
   桌上还有一支牛油烛,
   tā bù gāo xìng de shuō wǒ zhǐ
   它不高兴地说:"我只
   néng dāi zài chú fáng li
   能呆在厨房里。"

3. guǒ rán tā bèi nǚ zhǔ rén ná
   果然,它被女主人拿
   jìn chú fáng nà er yǒu ge qióng hái
   进厨房。那儿有个穷孩
   zi tí zhe yì lán tǔ dòu
   子,提着一篮土豆。

世界童话名著

安徒生童话

彩图注音版

4."这支蜡烛也给你。"女主人说，"你妈妈经常深夜工作，这对她有用。"

5. 女主人的小女儿说："今晚我将戴上红蝴蝶结参加舞会！"

6. 她的脸上放出幸福的光彩。牛油烛想：我永远忘不了她这副样儿。

7. 穷孩子带牛油烛回到家，牛油烛说："粗蜡烛已坐在银烛台上了吧。"

8. fù rén jiā de wǔ huì kāi shǐ le！là zhú men bèi diǎn zháo le，zhú guāng
富 人 家 的 舞 会 开 始 了！蜡 烛 们 被 点 着 了，烛 光
yì zhí shè dào dà jiē shang
一 直 射 到 大 街 上。

9. niú yóu zhú yǎn qián yòu chū xiàn le tā
牛 油 烛 眼 前 又 出 现 了 它
xiǎo nǚ ér de miàn kǒng，ài，
小 女 儿 的 面 孔 ，唉，
zài jiàn bu dào nà ge hái zi le
再 见 不 到 那 个 孩 子 了。

10. niú yóu zhú bèi diǎn liàng le qióng
牛 油 烛 被 点 亮 了。穷
hái zi hé mǔ qīn wéi zhe zhuō zi chī
孩 子 和 母 亲 围 着 桌 子 吃
tǔ dòu，chī de duō xiāng tián
土 豆，吃 得 多 香 甜！

世界童话名著 安徒生童话 彩图注音版

11. <ruby>穷<rt>qióng</rt></ruby><ruby>孩<rt>hái</rt></ruby><ruby>子<rt>zi</rt></ruby><ruby>边<rt>biān</rt></ruby><ruby>吃<rt>chī</rt></ruby><ruby>边<rt>biān</rt></ruby><ruby>唱<rt>chàng</rt></ruby>："<ruby>烛<rt>zhú</rt></ruby><ruby>光<rt>guāng</rt></ruby><ruby>照<rt>zhào</rt></ruby><ruby>着<rt>zhe</rt></ruby><ruby>我<rt>wǒ</rt></ruby><ruby>们<rt>men</rt></ruby><ruby>吃<rt>chī</rt></ruby><ruby>土<rt>tǔ</rt></ruby><ruby>豆<rt>dòu</rt></ruby>……"<ruby>脸<rt>liǎn</rt></ruby><ruby>上<rt>shang</rt></ruby><ruby>也<rt>yě</rt></ruby><ruby>放<rt>fàng</rt></ruby><ruby>出<rt>chu</rt></ruby><ruby>幸<rt>xìng</rt></ruby><ruby>福<rt>fú</rt></ruby><ruby>的<rt>de</rt></ruby><ruby>光<rt>guāng</rt></ruby><ruby>彩<rt>cǎi</rt></ruby>。

12. "<ruby>吃<rt>chī</rt></ruby><ruby>土<rt>tǔ</rt></ruby><ruby>豆<rt>dòu</rt></ruby><ruby>竟<rt>jìng</rt></ruby><ruby>跟<rt>gēn</rt></ruby><ruby>参<rt>cān</rt></ruby><ruby>加<rt>jiā</rt></ruby><ruby>舞<rt>wǔ</rt></ruby><ruby>会<rt>huì</rt></ruby><ruby>一<rt>yí</rt></ruby><ruby>样<rt>yàng</rt></ruby>！"<ruby>牛<rt>niú</rt></ruby><ruby>油<rt>yóu</rt></ruby><ruby>烛<rt>zhú</rt></ruby><ruby>想<rt>xiǎng</rt></ruby>，"<ruby>穷<rt>qióng</rt></ruby><ruby>孩<rt>hái</rt></ruby><ruby>子<rt>zi</rt></ruby><ruby>也<rt>yě</rt></ruby><ruby>感<rt>gǎn</rt></ruby><ruby>到<rt>dào</rt></ruby><ruby>快<rt>kuài</rt></ruby><ruby>乐<rt>lè</rt></ruby><ruby>啊<rt>a</rt></ruby>！"

13. <ruby>穷<rt>qióng</rt></ruby><ruby>孩<rt>hái</rt></ruby><ruby>子<rt>zi</rt></ruby><ruby>上<rt>shàng</rt></ruby><ruby>床<rt>chuáng</rt></ruby><ruby>睡<rt>shuì</rt></ruby><ruby>觉<rt>jiào</rt></ruby><ruby>后<rt>hòu</rt></ruby>，<ruby>妈<rt>mā</rt></ruby><ruby>妈<rt>ma</rt></ruby><ruby>缝<rt>féng</rt></ruby><ruby>衣<rt>yī</rt></ruby><ruby>服<rt>fu</rt></ruby><ruby>缝<rt>féng</rt></ruby><ruby>到<rt>dào</rt></ruby><ruby>深<rt>shēn</rt></ruby><ruby>夜<rt>yè</rt></ruby>，<ruby>因<rt>yīn</rt></ruby><ruby>为<rt>wèi</rt></ruby><ruby>她<rt>tā</rt></ruby><ruby>得<rt>děi</rt></ruby><ruby>养<rt>yǎng</rt></ruby><ruby>活<rt>huo</rt></ruby><ruby>全<rt>quán</rt></ruby><ruby>家<rt>jiā</rt></ruby>。

14. <ruby>牛<rt>niú</rt></ruby><ruby>油<rt>yóu</rt></ruby><ruby>烛<rt>zhú</rt></ruby><ruby>想<rt>xiǎng</rt></ruby>：<ruby>真<rt>zhēn</rt></ruby><ruby>是<rt>shì</rt></ruby><ruby>一<rt>yí</rt></ruby><ruby>个<rt>ge</rt></ruby><ruby>美<rt>měi</rt></ruby><ruby>丽<rt>lì</rt></ruby><ruby>的<rt>de</rt></ruby><ruby>晚<rt>wǎn</rt></ruby><ruby>上<rt>shang</rt></ruby>，<ruby>粗<rt>cū</rt></ruby><ruby>蜡<rt>là</rt></ruby><ruby>烛<rt>zhú</rt></ruby><ruby>的<rt>de</rt></ruby><ruby>夜<rt>yè</rt></ruby><ruby>晚<rt>wǎn</rt></ruby><ruby>会<rt>huì</rt></ruby><ruby>比<rt>bǐ</rt></ruby><ruby>这<rt>zhè</rt></ruby><ruby>更<rt>gèng</rt></ruby><ruby>美<rt>měi</rt></ruby><ruby>吗<rt>ma</rt></ruby>？

书　　名：世界童话名著彩图注音版——安徒生童话
出版发行：江苏少年儿童出版社
地　　址：南京市湖南路47号14F、15F
邮政编码：210009
经　　销：江苏省新华书店
印 刷 者：南通韬奋印刷厂
开　　本：880×1260毫米　1/24
印　　张：12.167　　插　页：4
印　　数：1—24000册
版　　次：2002年9月第1版
　　　　　2002年9月第1次印刷
标准书号：ISBN 7－5346－2703－6/J·836
定　　价：25.00元
（江苏少儿版图书如遇印装错误请向承印厂调换）

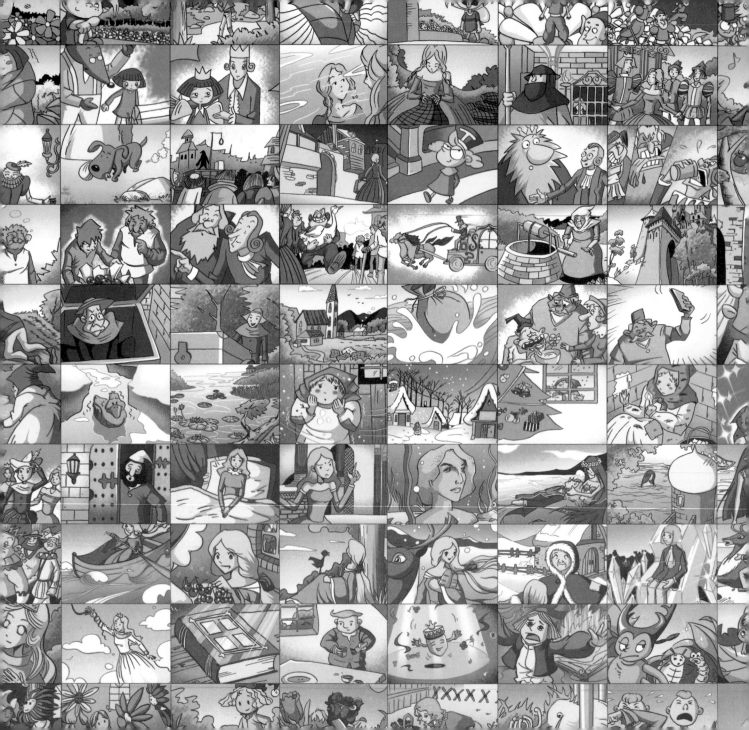